KU-724-131

Das verzauberte Pferd

DAS VERZAUBERTE PFERD

ERZÄHLUNGEN AUS DER WELT DES CHASSIDISMUS

KOEHLER & AMELANG
LEIPZIG

Aus dem Jiddischen
übersetzt von Alexander Eliasberg
und Mathias Acher

Nach Ausgaben von Alexander Eliasberg
und Jizchak Leib Perez ausgewählt,
mit einer Einleitung versehen
und erläutert von Ludwig Wächter

Illustrationen von Bernd Günther

Das verzauberte Pferd :
Erzählungen aus der Welt des Chassidismus /
hrsg. von Ludwig Wächter.
Mit Illustrationen von Bernd Günther. –
Leipzig : Koehler & Amelang, 1988. –
158 S. : 20 Abb.
ISBN 3-7338-0004-4

INHALT

EINLEITUNG

Der Chassidismus ist eine in der ersten Hälfte des 18. Jahrhunderts in den Südprovinzen des damaligen Polens – Podolien, Ostgalizien und Wolynien – unter den einfachen jüdischen Menschen entstandene religiöse Strömung. Diese breitete sich rasch aus und geriet in Opposition zu dem traditionellen orthodoxen Judentum, das sich auf das Studium des Talmuds konzentriert und eine spitzfindige Art des Denkens entwickelt hatte, die religiösem Erlebnis nicht mehr offen war.

Der Begründer der Erneuerungsbewegung, Israel ben Elieser, wurde um 1700 in Okup, einem kleinen podolischen Flecken geboren. Er trat nach bescheidenen Anfängen, die durch Legenden verklärt sind, von 1735 ab als Wunderheiler und Wanderprediger auf. Israel ben Elieser gehörte zu der damals recht großen Gruppe der Baale Schem (= Meister des Namens), der Leute, die durch die Kraft des göttlichen Namens Kranke heilten. Um ihn, der mehr als ein gewöhnlicher Wunderheiler war, ehrend hervorzuheben, nannten ihn seine Anhänger bald Baal-Schem-Tow, »Herr des guten (d. h. göttlichen) Namens«, und das wurde bei der unter Juden seit alters verbreiteten Neigung zu Abkürzungen in Bescht abgekürzt.

Was der Chassidismus brachte, ist im Judentum nicht etwas völlig Neues. Er steht vielmehr in einer sehr weit zurückreichenden Tradition, der der jüdischen Mystik.

Schon in der Antike hatten Juden über das Wunder der Weltschöpfung und über das Wunder der Gottesgegenwart, wie sie in faszinierender Weise in der Thronwagenvision des Propheten Ezechiel beschrieben wird, meditativ nachgedacht. Im Mittelalter wurden solche Gedanken in ein System gebracht, das man Kabbala nannte, an sich ein unverfängliches Wort, das so viel wie »Tradition« heißt. Gemeint war aber damit die geheime mystische Tradition.

Zusammengefaßt wurde sie im Buche Sohar (= Lichtglanz), das am Ende des 13. Jahrhunderts in Spanien entstanden ist. Das Buch enthält Spekulationen über das Uranfängliche, Unendliche (d.h. den verborgenen Gott), aus dem die göttlichen Kräfte (Sefirot) hervorkommen, in die der Mensch durch rechte Willensrichtung beim Gebet und bei der Gebotserfüllung eintreten kann.

Die Vertreibung der Juden aus Spanien (1492) und Portugal (1497) mit all ihren Schrecken hatte die alte Frage, die in den Hintergrund getreten war, jäh wieder wachgerufen: Welchen Sinn hat die Zerstreuung der Juden und ihre Knechtschaft unter den Völkern der Welt? Auf diese Sinnfrage wußten die Kabbalisten, deren Zentrum seit der Mitte des 16. Jahrhunderts die nordgaliläische Stadt Safed war, eine Antwort zu geben: Das irdische Exil Israels unter den Völkern der Welt entspricht dem Exil der Lichtfunken Gottes im außergöttlichen Bereich, und beides hängt miteinander zusammen.

Der führende Kopf dieser palästinensischen Kabbalisten war Isaak Luria (1534–1572). Sein bedeutendster Schüler, der das, was Luria mündlich vorgetragen hatte, in schriftliche Form brachte und weiterentwickelte, war Chajim Vital (1543–1620). Seine Hauptwerke sind Ez Chajim (Baum des Lebens) und Sefer Haggilgulim (Buch über die Seelenwanderung).

Die Hauptzüge des Systems der Kabbala Lurias und Vitals sind, in äußerster Verkürzung wiedergegeben, folgende: Gott ist unendlich. Die Schöpfung der Welt war darum nur möglich, indem Gott durch Selbstbeschränkung Raum freigab. In diesem Raum entfaltete sich der Bereich des Bösen. Doch waren in ihm göttliche Lichtfunken verblieben. Sie sind im Exil, und das Abbild dieses Exils Gottes ist das Exil Israels. Gottes Wille ist die Wiederherstellung der ursprünglichen Harmonie (Tikkun), d.h. die Vereinigung des göttlichen Lichtes. Dazu bedarf er der Mithilfe der Menschen. Durch Gebet, Gebotserfüllung und Askese können sie in diesen Prozeß eingreifen. Eine besondere Aufgabe hat dabei das Volk Israel; erfüllt es sie, dann erscheint der Messias. Ja, das Erscheinen des Messias ist als Zeichen dafür zu werten, daß Israel die ihm gestellte Aufgabe des Tikkun erfüllt hat.

Die lurianische Kabbala mit ihrer Verbindung von Tikkun und Messiaserwartung hatte eine Reihe von messianischen Bewegungen im Judentum zur Folge, deren folgenreichste wohl die von Sabbatai Zwi (1626–1676) war. Sabbatai Zwi, ein Visionär, hatte die Eingebung, er sei der Messias. Sein Anhänger Nathan gab diesem Anspruch durch kabbalistische Spekulationen eine theoretische Grundlage. Sabbatai Zwi, der in Smyrna geboren war, trat im türkischen Machtbereich auf, vor allem in Syrien, Palästina und Ägypten. Doch die von ihm ausgelöste messianische Gärung griff auch auf Osteuropa über, zumal auf Podolien, die Heimat Baal-Schem-Tows, die von 1672 bis 1699 unter türkische Herrschaft geraten war.

Als selbst nach dem Scheitern Sabbatai Zwis die von ihm verbreitete Lehre weiter um sich griff, verhängte im Jahre 1722 eine Rabbinerversammlung in Lemberg gegen alle, die an ihr festhielten, den Bann. Die Drucklegung kabbalistischer Schriften wurde wegen des Verdachtes, die sabbatianische Häresie zu fördern, verboten.

Nach einer Legende soll Baal-Schem-Tow durch einen Unbekannten, Reb Adam genannt, in den Besitz geheimer Schriften gekommen sein. Bildhaft wird etwas von ihrem Inhalt angedeutet: eine Beschreibung des Weges, mit den Kräften der himmlischen Welt in Berührung zu kommen. Gerade das aber ist ein wesentlicher Inhalt der Schriften der Kabbala. Sie waren also zu jener Zeit, als sie in die Hände des jugendlichen Israel ben Elieser gerieten, im wahrsten Sinne des Wortes Geheimschriften.

Was sie bei ihm auslösten, war etwas anderes als bei Sabbatai Zwi und später bei dem in Podolien geborenen Jakob Frank (1726–1791), der sich so wie Sabbatai Zwi zum Messias erklärte und dessen Lehren schließlich aus dem Judentum herausführten. Baal-Schem-Tow ging den Weg der Verinnerlichung, und das schloß den Versuch aus, die Erlösung Israels mit Macht oder magischer Gewalt herbeizuführen; mit anderen Worten: der Messianismus trat bei ihm, und dann überhaupt im Chassidismus, zurück.

Nach der von ihm begründeten Lehre – schriftlich hat er sie nicht dargelegt; sie ist von seinen Schülern überliefert worden – sind die irdische und die himmlische Welt eng miteinander verbunden und stehen in ständiger Wechselbeziehung zueinander. Gott wirkt auf den Menschen ein, aber auch der Mensch kann auf Gott einwirken, ja alle menschlichen Gedanken, Gefühle und Handlungen rufen Wirkungen in den himmlischen Sphären hervor. Die stärksten Wirkungen gehen vom Gebet aus, wenn es mit Hingabe (Dwekut) geschieht, in solcher Weise, daß der Mensch alles um sich herum vergißt. Es kommt dabei nicht auf Gelehrsamkeit an; ein einfacher Mensch, der nicht einmal die Gebetsordnung kennt, kann in seiner Hingabe an Gott weiter fortgeschritten sein als der größte Gelehrte. Diese Erkenntnis des Baal-Schem-Tow brach mit der alten Bevorzugung des sich dem Studium von Tora und Talmud widmenden Gelehrtenstandes, und sie öffnete breiten Volkskreisen den Zugang zur religiösen Mündigkeit. Das Studium von Tora und Talmud wird zwar nicht abgelehnt, aber es ist nicht mehr das Wichtigste. Geschieht es nur um des Studiums willen, zur Schärfung des Geistes, dann hat es keinen Wert. Geschieht es aber wie das Gebet in rechter Andacht, so ist es Gott gefällig.

Solche Hingabe an Gott ist für den, der sie ausübt, eine Quelle der Freude. »Dienet dem Herrn mit Freuden« (Psalm 100,2) – das kann man als Grundtenor chassidischer Frömmigkeit bezeichnen. Da Fasten keine Freudigkeit aufkommen läßt, wurde der von den Kabbalisten vertretene Gedanke, man könne Gott in besonderer Weise durch Fasten dienen, verworfen.

Die faszinierende Wirkung, die der Bescht auf die Schar seiner Anhänger ausübte, beruht auf der Tiefe seiner mystischen Erlebnisse während des mit Hingabe erfolgenden Gebetes. Er fühlte sich in die himmlischen Sphären erhoben, sein normales Bewußtsein setzte aus, er war nicht mehr Herr seiner Glieder, es erfaßte ihn ein starkes Zittern, er erlebte Visionen und Auditionen. Wenn ihn die Ekstase verlassen hatte, teilte er seine Erlebnisse und Erfahrungen seinen Jüngern mit, die bemüht waren, dem Meister auf dem Weg der Verbindung mit der göttlich-geistigen Welt zu folgen.

Anders als für die Kabbala-Mystiker war diese Verbindung für den Bescht – und das prägte den Chassidismus für die Folgezeit – nicht auf das Erlebnis der Ekstase beschränkt. Da die ganze Erde von Gottes Herrlichkeit erfüllt ist (Jesaja 6,3) und der Mensch stets Gott gegenübersteht (Psalm 16,8), ist nach chassidischer Lehre nicht nur der Gottesdienst, sondern auch der Alltag von Gottes Nähe bestimmt. Der chassidische

Fromme isoliert sich also nicht von der Gemeinschaft und kehrt sich nicht vom Arbeitsleben ab. Es kommt auch, da ja der Mensch aus Leib und Seele besteht, eine Verachtung der irdischen Freuden nicht in Frage.

Diese Bejahung des Profanen hängt mit der lurianischen Lehre von den in der Welt verstreuten göttlichen Funken zusammen. Der Mensch hat die Aufgabe, diese Funken zu befreien. Verrichtet er eine profane Handlung in dem reinen Willen, Gott zu dienen, dann kann es ihm gelingen, einige dieser Funken zu Gott emporzuheben. So ist im Chassidismus die Aufgabe, sich eng mit Gott zu verbinden, die Sache aller und nicht die einer geistigen Elite. Sie beschränkt sich nicht auf den geistlichen Bereich, sondern durchdringt auch das Alltagsleben.

Der Chassidismus wurde von einer herausragenden Persönlichkeit begründet. Wenn auch nach seiner Theorie jeder Fromme, Chassid genannt, in gleicher Weise an der Erfahrung der Gottesnähe beteiligt sein konnte, setzte sich doch das Prinzip der Unterordnung unter geistliche Führerpersönlichkeiten, die man Zaddikim (= Gerechte) nannte, durch. Man sprach den Zaddikim einen besonders hohen Grad der Gottverbundenheit (Dwekut) zu, einen unmittelbaren Umgang mit den himmlischen Sphären. Der einfache Mensch, der mit keinen besonderen Gaben ausgestattet ist, nimmt an der geistigen Erhebung des Zaddik dadurch teil, daß seine Seele mit emporgeführt wird. So ist der Zaddik nicht nur der Mittelpunkt der chassidischen Gemeinschaft, sondern auch ihre Spitze.

Mit seiner Betonung der Dwekut griff der Chassidismus niemals die Grundsätze der jüdischen Gesetzeslehre (Halacha) an. Er erneuerte das religiöse Leben der Juden, indem er den Zugang zu den Quellen religiösen Erlebens erschloß. Dieses Erleben, unmittelbar vom Zaddik erfahren, teilte sich seinen Anhängern, die darum seine Nähe suchten, mit. Die Riten, in denen sich der chassidische Gottesdienst vollzog, wichen nur wenig vom sonst Gebräuchlichen ab, aber in der Form sind die Unterschiede auffällig. Das Gebet wird ekstatisch und laut. Der Zaddik steht nicht vor dem Toraschrein, sondern geht vor ihm auf und ab. Durch sein erregtes Gebet reißt er seine Anhänger mit. Beim Gottesdienst wird gesungen, in die Hände geklatscht und getanzt. Frohsinn beherrscht das Zusammensein der Gemeinde. Bei den Festen gab es reichliche Mahlzeiten, besonders an den Sabbaten, und es wurden dabei auch stärkere alkoholische Getränke wie Branntwein nicht verschmäht. Die chassidische Fröhlichkeit, die von der Freude in Gott ausging und sich in rauschhafter Form auch auf das Körperliche erstreckte, konnte durchaus die Grenzen des bürgerlich Anständigen überschreiten, ja, wo die geistliche Mitte verkümmert war, in Trivialität ausarten. Gegner des Chassidismus hatten keine Mühe, Angriffspunkte zu finden.

Die ersten Zaddikim waren noch Schüler von Baal-Schem-Tow. Einer der bedeutendsten ist der Maggid (Prediger) Dow-Bär von Mesritsch, der sein Nachfolger wurde. In den Anfangszeiten gab es nur *eine* chassidische Gemeinschaft, deren Anhänger in verschiedenen Orten wohnten. Später bildeten sich mehrere voneinander unabhängige Gruppen. Dieser Prozeß wurde durch die Annektionen polnischer Gebiete durch das zaristische Rußland, Österreich und Preußen in den Jahren 1772, 1793 und 1795 beschleunigt; denn nun trennten Staatsgrenzen, die auch noch im Laufe der Jahre wechselten, ehemals Zusammengehöriges.

Folgenschwer war, daß es in den voneinander getrennten Gruppen schließlich zu Dynastiebildungen kam: die Würde des Zaddik ging vom Vater auf den ältesten Sohn über. Das brachte im ganzen gesehen einen Niedergang des Chassidismus; denn ein Charisma läßt sich nicht vererben. Aber auch wo der Zaddik nicht mehr voll das verkörperte, was von ihm erwartet wurde, führten die Chassidim mit Hingabe und Fröhlichkeit ihr religiöses Leben.

Die Chassidim hielten überall die Verbindung mit ihrem Zaddik dadurch aufrecht, daß sie zu ihm an bestimmten Sabbaten und Feiertagen reisten und dann mehrere Tage mit ihm Gebets- und Tischgemeinschaft hielten. Er war für sie nicht nur der geistliche Führer; auch in persönlichen Fragen wandten sie sich an ihn, und es war für sie selbstverständlich, ihm reichlich von ihren irdischen Gütern abzugeben, so wie auch der Zaddik einem Chassid, der in Not geraten war, nach Kräften half. Es gab allerdings auch Zaddikim, welche die Spenden ihrer Anhänger wie einen Tribut eintreiben ließen. Die Dynastie der Zaddikim von Sadagora entfaltete einen Prunk, der dem eines fürstlichen Hofstaates nahekam: der im Zaddik spürbar werdende Abglanz der Göttlichkeit sollte mit den Mitteln weltlichen Glanzes auch nach außen hin sichtbar gemacht werden. Auf der anderen Seite stehen Zaddikim wie Nachman von Brazlaw, die auf äußere Reichtümer völlig verzichteten.

Eine geistige Erneuerungsbewegung, wie sie der Chassidismus war, drängte selbstverständlich Menschen, die von ihr bewegt worden waren, zum Erzählen. Es entstand ein reicher Schatz von Legenden, die sich vor allem um den Bescht, dann aber auch um andere hervorragende Zaddikim rankten. Im Erzählen von Legenden, d.h. Erzählungen, die um Heilige gewoben werden, gibt es im Judentum eine lange Tradition, die bis in die Bibel hinabreicht. Legenden stehen in den Büchern des antiken jüdischen Schriftstellers Josephus, im Talmud und in den Midraschim, jüdischen Bibelauslegungen aus der Zeit der Spätantike bis ins Mittelalter. Aber es ist eben doch etwas Besonderes, wenn von Menschen, die in nicht so ferner Vergangenheit, im 18. und

19. Jahrhundert, gelebt haben, so Wundersames berichtet wird.

In diesem Buch sind einige jener Legenden zusammengestellt, die wesentliche Züge des Chassidismus hervortreten lassen. Sie sind den »Sagen polnischer Juden«, München 1916, entnommen, die Alexander Eliasberg ausgewählt und aus dem Jiddischen übertragen hat.

Diesen chassidischen Selbstzeugnissen sind einige Erzählungen des jüdischen Schriftstellers Jizchak Leib Perez (1851–1915) angeschlossen, der, von der jüdischen Aufklärung herkommend, sich der sozialistischen Bewegung anschloß und bei seinem Streben, sich mit den einfachen jüdischen Menschen seiner polnischen Heimat zu verbinden, auch mit dem Chassidismus in enge Berührung kam. Das Zeugnis eines Außenstehenden, der sich gleichwohl liebevoll mit der Sache beschäftigte, vermag das Bild, das die chassidischen Selbstzeugnisse bieten, zu ergänzen und zu bereichern. Die Erzählungen von Perez sind vor allem aus den »Chassidischen Geschichten«, Wien und Berlin 1922, ausgewählt, aber auch aus der Ausgabe »Ostjüdische Erzähler«, Weimar 1917; beides übersetzt von Alexander Eliasberg.

Durchweg ist der Text leicht überarbeitet worden. Es wurden nicht nur die Namen von Orten und Personen dem uns gewohnten Gebrauch angeglichen oder angenähert, sondern auch, um die Zahl der sonst notwendig werdenden Erläuterungen zu vermindern, hebräische bzw. jiddische Ausdrücke hin und wieder verdeutscht. Der Stil wurde dem heutigen Sprachgebrauch entsprechend in manchen Fällen umgestaltet.

Einige der hier wiedergegebenen Erzählungen von Perez sind auch in die Ausgabe »Ein Zwiegespräch« aus der Sammlung Dieterich (Nr. 398), Leipzig 1981, aufgenommen worden. Die dort vorliegende Textüberarbeitung konnte dankbar benutzt werden. Zwei der Erzählungen — »Kabbalisten« und »Des Rebben Pfeifenrohr« — sind auch von Mathias Acher (= Nathan Birnbaum) übersetzt worden: J. L. Perez, »Ausgewählte Erzählungen und Skizzen«, 2. Auflage, Berlin 1905. Mit Hilfe dieser Übersetzung konnte manches berichtigt oder verdeutlicht werden.

Die Legenden aus den Kreisen der Chassidim verherrlichen immer wieder die wunderbaren Gaben des Zaddik. Ein Heiliger wie der Bescht kann das Kommende bis in Einzelheiten seiner Abfolge vorausschauen (»Der vergessene Brief« u. ö.). Überhaupt ist das Wissen um verborgene Dinge eine wichtige Gabe des Zaddik, ob es sich nun um etwas Zukünftiges handelt (»Eine Bekehrung«) oder auch um etwas Vergangenes, das einen Menschen belastet (»Die verschmähte Braut«), oder um etwas, das an einem entfernten Ort geschieht (»Rosse helfen nicht«, »Der gottgefällige Tanz«, »Die ausgeschüttete Suppe«). Hellsichtig spürt er die Sünde auf (»Die verschmähte Braut«, »Eine Bekehrung«; vgl. auch »Neila in der Hölle«). Solche Schau des Verborgenen hängt damit zusammen, daß der Zaddik einen unmittelbaren Kontakt zu der himmlischen Welt hat (»Rabbi Wolfs Fahrt zum Heiligen Land«, »Das Gebet um den Messias«, »Seelen der Märtyrer« u. ö.). Ja, er kann auf das, was im himmlischen Gerichtshof beschlossen wird, einen großen Einfluß ausüben (»Eine Bekehrung«). Mit himmlischen Kräften ausgestattet, gewährt der Zaddik kinderlosen Ehepaaren Kindersegen (»Der gottgefällige Tanz«, »Die verschmähte Braut«) und übt wundersame Fernwirkungen aus (»Rosse helfen nicht«, »Die ausgeschüttete Suppe«). Seine enge Verbindung zur himmlischen Welt und sein Einfluß auf sie geht am eindrücklichsten aus der Erzählung »Seelen der Märtyrer« hervor. Umgekehrt greift die himmlische Welt hin und wieder in sein Erdenwirken ein, so wenn himmlische Gäste ihm bei der Ausgestaltung einer Hochzeit helfen (»Baal-Schem als Ehestifter«).

Eine besondere Gruppe von Legenden sind die Tikkun-Erzählungen, die von der Rückführung göttlicher Lichtfunken berichten. Die Erzählung »Bekehrung eines Angebers« schildert, wie jemand seine bösen Taten durch Gutes übertrifft und zum rechten Zeitpunkt, ehe er wieder Böses tun kann, vom Tode ereilt wird. Die Legende »Das verzauberte Pferd« hat die kabbalistische Lehre von der Seelenwanderung zur Voraussetzung: Jemand büßt die Sünden, die er während eines früheren Erdenlebens begangen hat, durch seine Arbeit als Lasttier, und erst der Zaddik, der alles durchschaut, kann ihn erlösen.

Manche Legenden kreisen nicht nur um den Zaddik und seine Wunderkraft. Ihr Hauptanliegen ist vielmehr zu zeigen, wie sich ein frommer Chassid im Leben bewähren soll. So wirbt die Legende »Starkes Gottvertrauen« für eben diese Haltung. Ein Nebenmotiv ist die gute Tat der Befreiung aus der Schuldknechtschaft durch Bezahlung von Pachtzins. Das gleiche Motiv liegt in der Legende »Baal-Schem als Ehestifter« vor. In der Erzählung »Die verschmähte Braut« ist die Zahlung von Mitgift für eine junge Frau, die sonst nicht heiraten könnte, die gute Tat, zu der aufgefordert wird.

Obwohl es sich um Legenden handelt, also nicht um Tatsachenberichte, werfen sie doch einen unbestechlichen Blick in die Umwelt, mit der die Juden jener Zeit konfrontiert waren. Viele mußten in tiefer Armut leben, und diejenigen, die eine Schankwirtschaft oder ein Gut in Pacht genommen hatten, waren von dem polnischen Gutsherrn völlig abhängig. Szenen der Art, wie sie in den Erzählungen über Drangsalierungen von Pächterfamilien oder über Mißhandlungen eines Spitzels, der seinen Angeberdienst nicht weiter leisten will, berichtet werden, gehörten gewiß zu den Alltäglichkeiten.

Die bittere Armut, in der die meisten seiner Landsleute leben mußten, wird erst recht aus den Erzählungen von Perez deutlich. In seinem literarischen Schaffen nimmt die Schilderung der bedrückenden Lebensumstände, unter denen zumal die Frauen zu leiden hatten, einen breiten Raum ein. Klagend, manchmal auch anklagend, macht er immer wieder auf Armut und Unterdrückung aufmerksam. Einiges von diesem sozialkritischen Aspekt findet sich auch in seinen chassidischen Geschichten: Das Städtchen, in dem die beiden Kabbalisten sich ihren Studien hingeben, ist zu arm, um sie richtig ernähren zu können. Die Wohn- und Lebensverhältnisse der Bewohner von Lahadam (»Neila in der Hölle«) sind mehr als kümmerlich. Die alte Frau, welcher der Rebbe von Nemirow hilft, hat kein Geld, um Holz für die Heizung zu bezahlen (»Wenn nicht noch höher«). Sore-Riwke und ihr Mann haben nicht einmal das Notwendigste zum Leben (»Des Rebben Pfeifenrohr«). So kraß werden die äußeren Lebensumstände in den Legenden aus den Kreisen der Chassidim nur selten beschrieben. Jemandem, der von außen kommt, fällt manches eher auf, als jemandem, der in der Sache selbst steht.

Dieser Unterschied des Blickwinkels wirkt sich auch auf die Wertung der über die Zaddikim erzählten Wunder und höheren Erkenntnisse aus. Für die Chassidim sind dies alles Glaubenstatsachen, während Perez aus der Distanz urteilen kann: Nicht der Zaddik tut Wunder, sondern die Chassidim glauben an Wunder. Das ist in köstlicher Weise in der Erzählung »Des Rebben Pfeifenrohr« entfaltet. Der Rebbe ist recht wortkarg und erscheint wenig intelligent; schließlich merkt er – oder merkt er es doch nicht? –, was der Chassid will. Daß er dem Chassid dann in so großzügiger Weise helfen kann, ist auf den Wunderglauben seiner Gemeinde zurückzuführen, die seine Pfeife als einen geheiligten, segenspendenden Gegenstand betrachtet. Köstlich ist auch, wie in »Die Offenbarung oder die Geschichte vom Ziegenbock« angedeutet wird, auf welche Weise die »Offenbarung« eines Zaddik, d.h. sein Hervortreten als Wundertäter, zustande kommen kann.

Doch auch wo Perez Distanz hält, ist seine Liebe zum einfachen Volk, dessen Lebensäußerungen er beschreibt, zu spüren. In manchen Erzählungen ist er dem geschilderten Gegenstand ganz nahe. So gelingt es ihm, in »Kabbalisten« das Lebensgefühl jener asketischen Strömung der jüdischen Mystik, die im Chassidismus aufging und von ihm abgelöst wurde, treffend zu veranschaulichen. Ganz von chassidischem Geist erfüllt sind Erzählungen wie »Ein Zwiegespräch« oder »Wenn nicht noch höher«.

In bestimmten Schaffensperioden versuchte Perez, sich in den Chassidismus hineinzuversetzen, wobei er das, was er als Ideal anstrebte, ein Leben in Harmonie von Mensch, Gott und Natur, in ihm verkörpert sah. Das hatte ein verklärtes Bild des Chassidismus zur Folge. Besonders in der Erzählung »Chassidische Freude« tritt uns dieses verklärte Bild entgegen: Der Zaddik wird als Kapellmeister geschildert, der himmlische Melodien aufnimmt und sie in die Chassidim, seine Instrumente, einströmen läßt. Nicht frei von poetischer Verklärung ist auch die Erzählung »Zwischen zwei Bergen«: Engagiert den chassidischen Standpunkt einnehmend, arbeitet Perez eindrucksvoll den Gegensatz zwischen Chassidim und Misnagdim (orthodoxen Juden) heraus: auf der einen Seite die lebendige, freudige, gemeinschaftsbildende Tora der Chassidim, auf der anderen die eisige, knöcherne, freudlose Tora der Misnagdim, die nur für die Gelehrten da ist.

Es konnten in dieser Ausgabe nur einige der in chassidischen Kreisen entstandenen Legenden ausgewählt und nur wenige der Erzählungen von Perez gebracht werden. Aber es wurde versucht, bei den ersten das Typische herauszugreifen und bei den zweiten das, was das Bild bereichern kann.

Es ist eine äußerlich arme und innerlich reiche Welt, die uns in den chassidischen Geschichten vor Augen tritt, seien sie nun von einfachen jüdischen Menschen geschrieben oder von Schriftstellern wie J. L. Perez. Die religiöse Erneuerung, die vom Chassidismus ausging, brachte neues Leben auch in die jüdische Literatur, wofür Perez ja nur *ein* Beispiel ist. Es ist ein ungeheurer Verlust für das europäische Geistesleben, daß die Gemeinschaft, von der solche Impulse ausgegangen sind, die weit über Osteuropa hinaus wirkten, in den Jahren zwischen 1939 und 1945 ausgelöscht worden ist.

DAS VERZAUBERTE PFERD

Der heilige Rabbi Baal-Schem kam auf einer seiner Reisen in ein Dorf, wo ein Pächter, der sein eifriger Anhänger war, wohnte. Der Pächter ließ für den Gast ein feines Mahl bereiten. Während des Mahles unterhielt sich Baal-Schem mit ihm über seine Wirtschaft und fragte ihn: »Hast du gute Pferde?« Und als der Pächter das bejahte, schlug der Rabbi vor: »Wollen wir in den Stall gehen und deine Pferde sehen.« Im Stalle gefiel dem Rabbi ein kleines Pferdchen ganz besonders, und er bat den Pächter, er möchte es ihm schenken. Darauf sagte der Pächter: »Dieses kleine Pferd ist mir besonders lieb, denn es kann mehr als drei andere Pferde leisten. Wo drei Pferde einen Wagen nicht herausziehen können, zieht es ihn ganz allein heraus, wie ich es schon oft erlebt habe. Wenn Ihr ein anderes Pferd wollt, so will ich Euch das beste aus meinem Stalle schenken.«

Baal-Schem erwiderte nichts. Sie sprachen über andere Dinge, und nach einer Stunde fragte der Rabbi den Pächter, ob ihm die Leute viel schuldeten. Der Pächter sagte, er habe viele Schuldner. Baal-Schem sagte ihm darauf: »Zeige mir bitte die Schuldscheine!« Der Pächter brachte alle Schuldscheine, und als der Rabbi einen gewissen Schuldschein sah, sagte er zum Pächter: »Schenke mir diesen Schuldschein!« Der Pächter darauf: »Rabbi, was taugt Euch dieser Schuldschein? Der

Mann, der ihn gezeichnet hat, ist schon längst tot, und er hat nichts hinterlassen, womit man seine Schulden bezahlen könnte.« Doch der Rabbi wiederholte seine Bitte, und der Pächter schenkte ihm den Schuldschein.

Baal-Schem nahm den Schuldschein und zerriß ihn in kleine Fetzen. So erlöste er den Verstorbenen von seiner Schuld. Dann sagte er zum Pächter: »Geh, schau jetzt nach deinem kleinen Pferde!« Der Pächter ging in den Stall und sah, daß das kleine Pferd tot war. Er begriff, daß die Sache nicht so einfach war, und Baal-Schem erklärte sie ihm: »Über den Mann, der dir den unbezahlten Schuldschein zurückließ, wurde am himmlischen Gerichtshofe beschlossen, daß er dir die Schuld abarbeiten soll. Da wurde er in ein Pferd verwandelt und hat dir als solches zu deiner Zufriedenheit gedient. Als du mir aber den Schuldschein schenktest und ich diesen zerriß, wurde er frei von seiner Schuld. Darum ist nun das Pferd tot, und seine Seele ist erlöst.«

RABBI WOLFS FAHRT ZUM HEILIGEN LAND

Rabbi Wolf Kizes, ein Schüler des heiligen Baal-Schem, wollte einmal ins Heilige Land reisen. Er ging zu seinem Meister, um von ihm Abschied zu nehmen. Baal-Schem gab ihm seinen Segen für die Reise und sagte ihm folgende Worte: »Reb Wolf, seid vorsichtig in Eurer Rede und überlegt Euch, was Ihr antwortet!«

Reb Wolf Kizes machte sich auf den Weg und ging auf ein Schiff. Das Schiff landete bei einer Insel und blieb dort für einige Stunden liegen. Die Leute gingen an Land, kauften sich Speisen und Getränke und kehrten bald wieder aufs Schiff zurück. Auch Reb Wolf Kizes ging an Land, um sein Gebet in aller Andacht zu verrichten. Und er betete so lange und mit solcher Inbrunst, daß er alles in der Welt vergaß und das Schiff ohne ihn seine Reise fortsetzte. Reb Wolf blieb allein auf der Insel zurück. Als er mit seinen Gebeten zu Ende war, sah er sich um und merkte, daß er allein zurückgeblieben war.

Er sah einen schmalen Fußpfad und ging ihm nach. Und der Pfad führte ihn zu einem Hause. Er trat ein und traf in der Stube einen alten Juden. Der Greis begrüßte ihn und wandte sich an ihn mit diesen Worten: »Reb Wolf, warum seid Ihr so bekümmert?« Reb Wolf Kizes antwortete: »Wie soll ich nicht bekümmert sein, wenn mein Schiff weggegangen ist und ich allein auf der

Insel zurückgeblieben bin?« Und der Greis tröstete ihn und sprach: »Reb Wolf, seid unbesorgt! Ihr werdet hier den Sabbat verbringen. Nach dem Sabbat wird ein anderes Schiff kommen und Euch mitnehmen. Ein Bad und eine Betstube werdet Ihr bei mir finden.« Und so war es auch. Reb Wolf Kizes verbrachte dort den Sabbat, und am Sonntag kam ein anderes Schiff und hielt vor der Insel.

Reb Wolf Kizes ging zum Hafen, und der Greis begleitete ihn. Reb Wolf fürchtete, daß das Schiff wieder ohne ihn wegfahren würde. Der Greis sagte ihm: »Reb Wolf, ich vergaß Euch zu fragen, wie geht es den Juden in Eurem Lande?« Und Reb Wolf, der noch immer wegen des Schiffes besorgt war, antwortete dem Greise kurz: »Gott verläßt sie nicht!« Und mit diesen Worten ging er aufs Schiff, und das Schiff stach in See.

Als das Schiff schon eine Strecke gefahren war, bekam Reb Wolf Gewissensbisse, daß er dem Greis eine so unbedachte Antwort gegeben hatte, und er erinnerte sich der Worte, die ihm sein Meister Baal-Schem auf den Weg gegeben hatte: »Warum erzählte ich ihm nicht vom großen Elend, in dem die Juden in meinem Lande leben? Doch geschehen ist geschehen.« Und Reb Wolf Kizes beschloß, seine Reise ins Heilige Land nicht fortzusetzen, sondern zu Baal-Schem zurückzukehren.

Er reiste zurück und kam zu Baal-Schem. Der heilige Rabbi begrüßte ihn und sagte ihm: »Der Greis, den du sahst, war unser Vater Abraham. Der heilige Erzvater tritt jeden Tag vor den Herrn und fragt ihn: ›Schöpfer der Welt, wie geht es meinen Kindern?‹ Und der Schöpfer antwortet ihm: ›Ich verlasse sie nicht. Und wenn du eine Bestätigung haben willst, so wisse, daß Reb Wolf Kizes bald ins Heilige Land reist. Er ist ein ehrlicher Mann, und ihn kannst du fragen.‹ Wenn du dem Vater Abraham von den großen Leiden seiner Kinder in der Verbannung erzählt hättest, so wäre allen Ju-

den die Rettung gekommen. Du hast aber meinen Rat vergessen, und darum werden die Leiden der Verbannung noch fortdauern.«

Der Herr, gelobt sei sein Name, möchte sich unser bald erbarmen. Amen.

DAS GEBET UM DEN MESSIAS

An einem Jom-Kippur kam der heilige Baal-Schem nicht zu der frühen Morgenstunde ins Bethaus, wie er es sonst zu tun pflegte, und die ganze Gemeinde betete nicht, sondern wartete auf seine Ankunft. Erst als es schon recht spät am Tage war, kam er ins Bethaus, setzte sich auf seinen Platz und legte seinen Kopf auf das Betpult, ohne zu beten. Nach einer Weile hob er den Kopf und legte ihn dann wieder auf das Betpult, und so dauerte es eine ganze Weile. Endlich gab er ein Zeichen, daß man mit dem Beten anfangen solle, und alle beteten den ersten Teil des Morgengebetes.

Den zweiten Teil des Morgengebets, den Mussaf, pflegte am Jom-Kippur immer Rabbi David Pirkos vorzubeten. Baal-Schem rief aber aus: »Wer wird heute den Mussaf vorbeten?« Die Gemeinde wußte zwar, daß Rabbi David vorbeten sollte, fürchtete sich aber, es dem heiligen Baal-Schem zu sagen, und alle schwiegen. Er wiederholte immer wieder die Frage: »Wer wird den Mussaf vorbeten?« Und man antwortete ihm schließlich: »Rabbi David pflegt den Mussaf vorzubeten.«

Da begann der heilige Baal-Schem auf Rabbi David zu schreien: »Du, Rabbi David, willst am Jom-Kippur den Mussaf vorbeten? Wie kommst du dazu?« Und er schimpfte auf ihn etwa eine halbe Stunde, daß es gar nicht zu beschreiben ist. Es verdroß die Gemeinde sehr, daß der heilige Rabbi einen Menschen so beschimpfte, und dazu noch einen so frommen und gelehrten Mann, und das an einem Jom-Kippur. Doch vor großer Angst wagte niemand ein Wort zu sagen.

Schließlich sagte Baal-Schem: »Wenn kein anderer vorbeten kann, so bete du vor, Rabbi David!« Rabbi David war sehr betrübt, denn er glaubte, daß Baal-Schem auf ihn einen Zorn habe oder auf seiner Stirne irgendeine große Sünde gelesen hätte. Und er stellte sich vor das Vorbeterpult und begann vorzubeten mit großer Zerknirschung, und weinte während des Gebets so sehr, daß man es gar nicht beschreiben kann.

Am Abend, nach dem Ausgang von Jom-Kippur, versammelten sich alle, wie es alljährlich Sitte war, bei Baal-Schem, und dieser erzählte vor der ganzen Gemeinde, was sich zugetragen hatte: »Rabbi David hat sich vor Jom-Kippur durch Kasteiungen und lange Fasten, die von Sabbat zu Sabbat währten, auf das Mussaf-Gebet am Jom Kippur vorbereitet, denn er hatte im Sinne, während dieses Gebets mit aller Gewalt darauf zu bestehen, daß der Messias noch in diesem Jahre kommen sollte. Kein Mensch hat von diesem Entschluß des Rabbi David gewußt. Doch der Satan hat auch einen Entschluß gefaßt und hat sich mit andern bösen Geistern an den Straßen, auf denen die Gebete zum Himmel hinaufsteigen, aufgestellt, um alle Gebete abzufangen. Darum ging ich nicht ins Bethaus, denn ich wollte nicht, daß die Gebete dem Satan dargebracht werden. Erst als es mir gelungen war, einen neuen Weg für die Gebete zu bahnen, ging ich ins Bethaus. Und als es zum Mussaf kam, fürchtete ich, daß, wenn Rabbi David das Gebet, auf das er sich so sehr vorbereitet hatte, sprechen würde, auch der Satan seine ganze Kraft zusammennehmen würde, um dem ganzen Volke Israel etwas Arges anzutun. Denn es ist noch nicht die Zeit für den Messias, und man muß jetzt andere Mittel suchen, um dem Volke Israel ein erträgliches Leben zwischen den andern Völkern zu verschaffen. Darum mußte ich Rabbi David von seinem Vorhaben und von jedem Gedanken an den Messias abbringen, und ich beschimpfte ihn, damit er glaubte, daß ich auf seiner Stirne eine Sünde gelesen hätte. Nun sage ich es vor allen, daß ich nur an das Wohl des ganzen Volkes Israel dachte. Da Rabbi David ein Mann von großer Frömmigkeit ist, würde der Satan vor seinem Gebet große Angst haben und alles aufwenden, um dem Volke Israel zu schaden. Darum soll mir nachgesehen werden, daß ich Rabbi David so sehr beschämt habe.«

Und Rabbi David bestätigte alles, was Baal-Schem von seinem Vorhaben und seinen Vorbereitungen zum Mussaf-Gebet erzählt hatte.

SEELEN DER MÄRTYRER

In der Stadt Pawlicz war einmal, unserer großen Sünden wegen, eine durch falsche Anschuldigungen hervorgerufene große Judenverfolgung, und viele unserer heiligen Rabbis wurden erschlagen. Die Rabbis aus den anderen Städten entflohen, denn die Verfolgung war sehr grausam. Auch Rabbi David von Korobatsch wollte nach der Walachei entfliehen. Als er unterwegs nach Miedziborz zum heiligen Rabbi Israel Baal-Schem kam, wollte ihn dieser aufhalten und sagte ihm, daß allen die Rettung kommen würde. Da bekam aber Rabbi David einen Brief, daß noch viele Rabbis erschlagen worden waren und daß man sie zuvor gemartert hatte. Das war am Freitag, und Baal-Schem war den ganzen Tag über sehr traurig. Als er ins Bad kam, hub er zu weinen an, und als er später das Nachmittagsgebet sprach, zitterte er an allen Gliedern. Alle meinten, daß er sich zum Sabbatanbruch aufheitern werde, doch er empfing den Sabbat in Trauer und Beben und sprach das Kiddusch-Gebet über den Wein mit Tränen. Und gleich nach dem Gebet verließ er die Tafel, ging in seine Schlafkammer und warf sich auf die Erde. So lag er lange, und die Gäste und das Hausgesinde warteten auf ihn mit dem Essen. Da ging sein Weib zu ihm in die Kammer und sagte, daß die Lichter bald ausbrennen würden. Doch er erwiderte: »Sollen die Leute essen und nach Hause gehen.«

Nun ging Rabbi David von Korobatsch zur Türe der Schlafkammer und stellte sich hin, um zu sehen, was der heilige Rabbi tun würde, denn in der Türe war ein Spalt. Er mußte sehr lange warten, und als er müde wurde zu stehen, nahm er einen Schemel, rückte ihn zur Türe heran und setzte sich hin. Gegen Mitternacht hörte er, wie Baal-Schem zu seinem Weibe sagte: »Bedecke dein Gesicht!« Und im gleichen Augenblick wurde es in der Kammer hell, und durch den Spalt in der Türe kam ein Lichtschein.

Und Baal-Schem rief: »Gesegnet sei dein Kommen, Rabbi Akiba!« Und so begrüßte er die Seelen aller erschlagenen Märtyrer, und nannte einen jeglichen beim Namen. Und er sagte zu ihnen: »Ich beschließe, daß ihr an dem grausamen Verfolger, dem Senator, der euch zum Tode verurteilt hat, Rache nehmen sollt!«

Und die Märtyrer flehten ihn an und sprachen: »Wir bitten Euch, daß diese Worte, die Ihr eben sprachet, nicht mehr über Eure Lippen kommen, und daß Ihr Euren Beschluß zurücknehmt. Ihr wißt selbst nicht, wie groß Eure Macht ist. Denn als Ihr am Sabbat so traurig wart, da ging ein großes Rauschen durch alle Welten. Wir wußten gar nicht, was das zu bedeuten hatte. Wir stiegen in immer höhere Himmelsregionen, doch überall war das gleiche Rauschen. Und als wir in eines der höchsten Himmelsgemächer kamen, wurde uns befohlen: ›Steigt hinab und stillet die Tränen des heiligen Israel Baal-Schem!‹ Nun wollen wir Euch sagen, daß alle Leiden, die der Mensch erleidet, nichts sind im Vergleich mit den Martern, die wir bei unserm Tode, mit dem wir den Namen des Herrn heiligten, gelitten haben. Denn der böse Trieb trübte unsere Gedanken, obwohl wir ihn mit beiden Händen wegstießen. Wie sehr wir uns auch wehrten, machte er sein böses Zeichen auf unsere Gedanken, und wir mußten für eine halbe Stunde in die Hölle. Und alle Marter, die wir auf der Welt gelit-

ten haben, sind nichts gegen die Marter, die wir in dieser halben Stunde in der Hölle erfuhren.

Und als wir später ins Paradies kamen, sagten wir uns: ›Nun wollen wir Rache an unsern Feinden nehmen!‹ Man sagte uns aber: ›Ihre Zeit ist noch nicht gekommen. Wenn ihr aber dennoch sofort Rache nehmen wollt, so müßt ihr in einer neuen Verwandlung noch einmal auf die Erde zurückkehren.‹ Doch wir antworteten: ›Wir loben den Herrn, gesegnet sei sein Name, und danken ihm, daß wir den Märtyrertod erlitten haben. Wir haben schwere Marter erlitten und waren eine halbe Stunde in der Hölle. Und wenn wir jetzt wieder in einem neuen Dasein auf die Erde kommen, werden wir vielleicht schlechter werden, als wir waren. Darum wollen wir nicht aufs neue verwandelt werden.‹ Nun bitten wir Euch, Rabbi, daß Ihr Euren Beschluß zurücknehmt und uns nicht zwingt, Rache zu nehmen!«

Da fragte der heilige Baal-Schem: »Warum hatte man mir nicht vom Himmel angesagt, daß ihr erschlagen sein werdet? Es sah doch gar nicht so bedenklich aus.« Und sie antworteten: »Man fürchtete im Himmel, es Euch anzusagen, damit Ihr durch Eure Fürbitte den himmlischen Beschluß nicht umstoßt. Denn hättet Ihr das getan, so wäre ein noch viel größeres Unglück geschehen. Darum gab man Euch keine Nachricht.«

ROSSE HELFEN NICHT

Ein gewisser Reb Elijahu aus Saklikow hörte einmal in seiner Jugend sagen: Wenn einer will, daß sein Gebet zum Herrn hinaufsteige, so muß er zusammen mit dem heiligen Israel Baal-Schem Wort für Wort beten. Reb Elijahu tat so: er stellte sich einmal neben Baal-Schem, als dieser betete, und sprach Wort für Wort mit. Doch bei der Stelle im 32. Psalm »Rosse helfen nicht, und ihre große Stärke errettet nicht« verweilte der heilige Rabbi sehr lange und wiederholte diese Worte mehrere Male mit großer Inbrunst und sehr andächtig. Reb Elijahu schlug in den Büchern nach, ob dieser Stelle eine be-

sondere Bedeutung zukomme und ob man bei ihr mit besonderer Andacht verweilen müsse, doch in den Büchern stand nichts dergleichen. Und da Baal-Schem noch immer bei dieser Stelle blieb, gab Reb Elijahu das gemeinsame Beten auf und betete für sich weiter.

Später einmal kam er zum heiligen Baal-Schem, und dieser fragte ihn: »Warum hast du damals aufgehört, mit mir zu beten?« Reb Elijahu sagte ihm, daß er es getan habe, weil der heilige Rabbi jenen Vers so oft wiederholte. Darauf erklärte ihm Baal-Schem: »Die Sache war so: ein Mann wurde auf einer Reise vom Sabbatanbruch überrascht und mußte daher im Freien übernachten. Ein Räuber erfuhr, daß der Jude im Felde geblieben war, und nahm ein Pferd, um ihn zu überfallen. Doch als ich den Vers ›Rosse helfen nicht‹ mit solcher Inbrunst sprach, verirrte sich der Räuber im Felde und irrte so lange herum, bis der Sabbat zu Ende war und der Jude seine Reise fortsetzen konnte.«

DER VERGESSENE BRIEF

Der heilige Baal-Schem kam einmal auf einer Reise in ein Wirtshaus in der Nähe der Stadt Brody. Der Pächter des Wirtshauses gehörte zu seinen Anhängern und bereitete ihm daher einen sehr schönen Empfang und rüstete ein feines Mahl für Baal-Schem und alle seine Reisegenossen. Alle verbrachten die Nacht in diesem Wirtshause, und am nächsten Morgen, nach dem Essen, sagte Baal-Schem zum Pächter: »Vielleicht hast du irgendein Anliegen? Ich kann für dich jetzt alles erwirken.« Der Pächter antwortete: »Ich habe, gottlob, gar kein Anliegen. Nur daß ich immer gesund und stark bleibe, denn jetzt fehlt mir nichts.« Darauf erwiderte Baal-Schem: »Da du keine Bitte an mich hast, so möchte ich dich um etwas bitten, aber du sollst mir meine Bitte nicht abschlagen.« Und der Pächter sprach: »Ich werde ganz gewiß alles tun, was ich für den Rabbi tun kann.«

Baal-Schem setzte sich an den Tisch, schrieb einen Brief, faltete ihn zusammen, versiegelte ihn und sagte zum Pächter: »Diesen Brief will ich nach Brody schikken, und ich bitte dich, ihn dorthin zu bringen.« Der Pächter antwortete: »Für den Rabbi tue ich es sofort!« Und er nahm den Brief aus des heiligen Rabbis Hand und tat ihn zu sich in die Tasche. Da sagte Baal-Schem: »Nun muß ich weiterreisen, und du wirst mich wohl eine Strecke begleiten wollen.« Und der Pächter sagte: »Ja!« und lief nach Hause, um seinen Wagen einzuspannen.

Und wie sich der Pächter im Pferdestall bückte, um Stricke zu nehmen, mit denen er die Pferde einspannen wollte, fiel ihm der Brief aus seiner Brusttasche heraus und in den Kasten, in dem er die Stricke verwahrte, hinein. Und er spannte ein, begleitete den heiligen Baal-Schem ein Stück des Weges und kehrte heim; den Brief vergaß er aber völlig. Und als er nach einiger Zeit in irgendeiner Sache Baal-Schem besuchte, gedachte dieser mit keinem Wort des Briefes.

Und es vergingen viele Jahre, Baal-Schem war inzwischen gestorben, dem Pächter ging es aber sehr schlecht, und er wurde arm wie ein Bettler. Er mußte nach und nach seine ganze Habe verkaufen, und schließlich besaß er nichts mehr, was er hätte verkaufen können. Es waren aber schon siebzehn Jahre nach dem Tode Baal-Schems vergangen. Da ging der Pächter zur Kiste, die er in seinem Hause stehen hatte, um nachzusehen, ob er in ihr nicht doch etwas finden würde, was er verkaufen könnte. Und er fand in der Kiste den Brief, den ihm Baal-Schem einst übergeben hatte.

Wie er die Handschrift des heiligen Rabbi erkannte, da war er schier von Sinnen; er weinte und klagte und sprach: »Nun weiß ich, warum mich das Unglück getroffen hat!« Und er betrachtete den Brief, las, an wen er gerichtet war, hatte aber Furcht, ihn zu erbrechen. Und er sagte sich: »Ich will den Brief nach Brody bringen, vielleicht wird er noch dem nützen, an den er gerichtet ist. Vielleicht steht ein Geheimnis darin; darum will ich ihn lieber nicht öffnen.«

Und er begab sich zu Fuß nach Brody, und der Weg dauerte drei Tage. In Brody ging er in die Synagoge und fragte die alten Leute, ob sie sich erinnerten, wer vor zwanzig Jahren die Gemeindevorsteher gewesen waren,

und er nannte ihnen die beiden Namen, die auf dem Briefe standen. Doch die alten Leute antworteten: »Solange wir leben, hat es hier keine Gemeindevorsteher mit diesen Namen gegeben.« Und er fragte einen andern und einen dritten, und alle antworteten ihm dasselbe. Er war sehr betrübt und zeigte den Brief den Alten, doch niemand wagte es, den Brief zu erbrechen.

Da sagte jemand zum Spaß: »Gerade in diesem Augenblick finden in der Großen Schul neue Wahlen von Gemeindevorstehern statt. Vielleicht werden die Leute gewählt, deren Namen auf deinem Briefe stehen!« Und alle lachten darüber, doch der Scherz wurde zur Wahrheit. Es kamen Jungen aus der Großen Schul gelaufen und riefen: »Gut Glück! Die und die Leute sind zu Gemeindevorstehern erwählt worden.« Der Pächter fragte noch einmal nach den Namen und hörte die gleichen Namen, die auf dem Briefe standen. Und er war sehr verwundert und beriet mit den Leuten, was er nun tun solle. Und die alten Leute sagten ihm: »Warte eine Weile, bis die Gemeinde sich aus der Gemeindestube entfernt hat, wohin man die neuen Vorsteher geführt hat. Dann wirst du ihnen den Brief übergeben, sie werden ihn öffnen, und da wird man sehen, ob der Brief an sie gerichtet ist oder nicht.«

Er tat so, wie man ihm sagte, ging in die Gemeindestube und fragte, wer die neuen Vorsteher seien, und man zeigte sie ihm. Und der Pächter sagte ihnen: »Meine Herren, ich habe euch einen Brief vom heiligen Baal-Schem, seligen Angedenkens, zu bestellen.« Und die beiden Vorsteher spotteten seiner und sagten: »Woher kommt Ihr, närrischer Mensch, der Ihr uns eine solche Lüge sagt? Baal-Schem ist ja schon seit siebzehn Jahren auf der wahren Welt, und wir sind nur zwanzig bis fünfundzwanzig Jahre alt. Wie ist es nun möglich, daß Baal-Schem uns einen Brief geschickt hat?« Und der Pächter erwiderte darauf: »Glaubt mir, ihr Herren, ich wundere mich auch selbst darüber, doch die Sache verhält sich so und so.« Und er erzählte ihnen die Sache.

Und die Vorsteher nahmen den Brief aus seiner Hand und öffneten ihn. Im Briefe stand aber folgendes: »An Herrn Soundso und Herrn Soundso, die Gemeindevorsteher von Brody. Wenn der Überbringer dieses, mit Namen soundso, zu euch kommen wird, so nehmt euch seiner, bitte, an. Er ist ein ordentlicher Mann und war bisher reich. Nun ist er verarmt. Ihr sollt ihm helfen, wie ihr nur könnt, weil ich, Baal-Schem, euch darum bitte. Und für den Fall, daß ihr zweifelt, ob ich, Baal-Schem, diesen Brief wirklich geschrieben habe, gebe ich euch ein Zeichen: Eure beiden Weiber liegen jetzt in Kindesnöten, und gleich wird man euch melden, daß die eine einen Sohn und die andere eine Tochter geboren hat. Dies sei euch ein Zeichen, daß ich den Brief wirklich geschrieben habe. Israel Baal-Schem.« Kaum hatten die Vorsteher den Brief zu Ende gelesen, als ein Bote mit der Nachricht kam, von der im Brief stand. Als die Gemeinde von Brody von diesem wunderlichen Begebnis erfuhr, schickten alle Leute dem Pächter Geldgeschenke und machten ihn reich. Und die beiden Gemeindevorsteher schenkten ihm noch mehr als die Gemeinde, und so fuhr er beglückt heim. Diese Geschichte zeigt die Allmacht des Schöpfers, der auch einem von einem Weibe Geborenen solche Seherkraft verleihen kann. Er bleibe uns stets gnädig. Amen.

BAAL-SCHEM ALS EHESTIFTER

Der heilige Rabbi Abraham-Jakob von Sadagora erzählte einmal die folgende Geschichte:

Vor Zeiten, als Polen noch von eigenen Königen regiert wurde, hatte jeder Gutsherr auf seinem Gute die gleiche Gewalt wie ein Kaiser. Er tat, was er wollte, sowohl Gutes als auch Böses. Er durfte strafen, und er durfte begnadigen. In einem Dorfe wohnte um diese Zeit ein jüdischer Pächter, der dem Gutsherrn die Pachtrate nicht rechtzeitig bezahlen konnte. Der Gutsherr wartete einige Jahre; der Pachtzins wuchs immer mehr an, und die Schuld des Pächters betrug schließlich vierhundert Rubel. Da der Jude diese Summe nicht bezahlen konnte, ließ ihn der Gutsherr samt Weib und Kindern in den Kerker werfen. Sie sollten soundso lange im Kerker sitzen und nichts als trockenes Brot und Wasser bekommen.

Später sagte sich der Gutsherr, daß er davon doch gar nichts haben würde, wenn der Pächter im Kerker verschmachtete. Darum beschloß er folgendes: er ließ den Pächter, dessen Weib und Kinder in Ketten legen und befahl seinem Verwalter, die Gefesselten durch die nächsten größeren Städte zu führen. In jeder Stadt sollte er das Volk zusammentrommeln und einen Aufruf vorlesen, den der Gutsherr selbst verfaßt und unterschrieben hatte: »Wenn sich kein Jude findet, der die

Gefangenen für dreihundert Rubel auslöst, so werden sie sämtlich erschlagen werden.« Der Verwalter tat so, wie ihm geheißen: er brachte die mit Ketten beladenen Gefangenen in die nächste größere Stadt und ließ die Trommel schlagen; als viel Volk zusammengekommen war, las er den Aufruf des Gutsherrn vor. Die Gefangenen weinten und flehten die Juden der Stadt an, daß sie mit ihnen Mitleid haben und sie auslösen mögen, denn der Gutsherr würde sie sonst erbarmungslos umbringen lassen. Die Leute, die das hörten, hatten alle Mitleid mit den armen Gefangenen, doch es fand sich unter ihnen und selbst unter den reichsten Leuten der Stadt niemand, der das Lösegeld erbringen wollte: jeder seufzte über die Armen und ging weiter. Die Gefangenen weinten und jammerten, doch niemand wollte ihnen helfen.

In dieser Stadt lebte ein armer, einfacher Jüngling. Er war Diener bei einem reichen Manne und hatte während seiner Dienstzeit hundertfünfzig Rubel zusammengespart. Als der Jüngling von den armen Gefangenen hörte, daß sie nur noch diesen einen Tag zu leben hätten, entbrannte sein Herz in Mitleid, und er beschloß, seine ganzen Ersparnisse zu opfern, um die Menschen vom sicheren Tode zu retten. Da aber seine ganzen Ersparnisse nur die Hälfte des nötigen Lösegeldes ausmachten, beschloß er, sich an ein armes Mädchen zu wenden, das er kannte und das als Dienstmädchen gleichfalls hundertundfünfzig Rubel zusammengespart hatte. Er ging also zu dem Mädchen und sagte: »Ich habe mich entschlossen, meine ganzen Ersparnisse für das gottgefällige Werk der Erlösung von Menschenseelen vor dem sicheren Tode zu opfern, und ich rate dir, daß auch du deine Ersparnisse für das gleiche gottgefällige Werk opferst. Denn wir beide sind ja einfache Menschen und haben noch nichts Gottgefälliges getan. Und da uns der Herr, gelobt sei sein Name, die Gelegenheit geboten hat, dieses seltene gottgefällige Werk zu tun, wollen wir diese Gelegenheit ergreifen.« Das gute Mädchen erklärte sich dazu bereit und brachte sofort ihre hundertundfünfzig Rubel. Er tat sie zu seinem Gelde und bezahlte dem Verwalter das ganze Lösegeld von dreihundert Rubeln. Der Verwalter befreite sofort die Gefangenen, und sie gingen heim und dankten Gott für ihre Befreiung.

Und der Jüngling sprach zum Mädchen: »Auch wir müssen dem Herrn danken, weil er uns dieses gottgefällige Werk verrichten ließ. Da du aber auf meinen Rat dein letztes Geld weggegeben hast, so ist es meine Pflicht, nun auch für dich zu sorgen. Und ich rate dir dieses: ich habe in einer nahen Stadt einen Onkel, und wenn wir beide zu ihm kommen, so wird er sich bemühen, dir und mir irgendwelche Stellungen zu verschaffen.« Das Mädchen willigte ein. Sie nahmen ihre Bündel mit ihrem ganzen Hab und Gut und machten sich auf den Weg nach der nächsten Stadt, wo der Onkel des Jünglings lebte. Sie gingen zu Fuß und kamen gegen Abend zu einer Herberge. Sie beschlossen, da zu übernachten.

Ob des seltenen gottgefälligen Werkes, das diese beiden einfachen und armen jungen Leute getan hatten, gab es im Himmel ein großes Rauschen und Frohlokken, und der Name des höchsten Gottes wurde in allen Regionen geheiligt. Darum wurde vom Himmel dem heiligen Israel Baal-Schem befohlen, daß er sich sofort zu der Herberge begebe, wo die jungen Leute übernachteten, daß er Hochzeitskleider für den Jüngling und für das Mädchen mitnehme und die beiden nach dem Gesetze Moses und Israels verheirate. Baal-Schem tat, wie ihm geheißen. Er nahm Kleider für den Bräutigam und für die Braut, machte sich auf den Weg und kam am gleichen Abend zu der Herberge. Der Wirt empfing ihn mit Ehrfurcht und sagte ihm: »Rabbi, übernachtet diese Nacht in meiner Herberge!« Baal-Schem trat ein, und der Wirt gab ihm ein eigenes Zimmer.

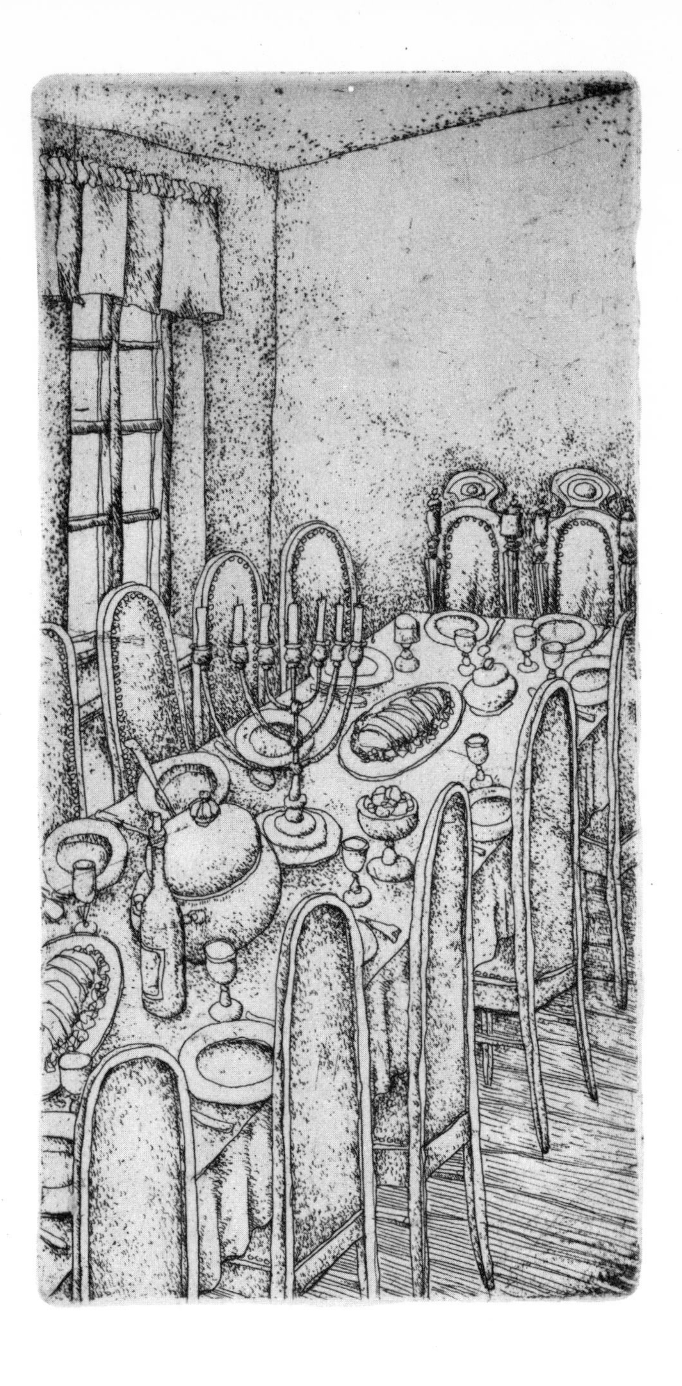

Baal-Schem rief den Wirt zu sich herein und befahl ihm, sofort ein Hochzeitsmahl vorzubereiten, denn er werde noch diese Nacht in seiner Herberge ein junges Paar verheiraten. Der Wirt machte sich sofort an die Arbeit und richtete ein Mahl für ein Brautpaar und zehn Hochzeitsgäste. Er war so mit dieser Arbeit beschäftigt, daß er sich gar nicht fragte, wo das Brautpaar sei.

Als der Jüngling und das Mädchen vor der Herberge anlangten, setzten sie sich draußen hin, um etwas auszuruhen. Da sie beide gewohnt waren, im Hause und in der Küche zu arbeiten, boten sie dem Gastwirt, als sie seine Vorbereitungen zum Festmahle sahen, ihre Hilfe an. Sie wollten sich nützlich machen, um dafür einen Bissen Brot und Unterkunft zu bekommen. Der Jüngling half dem Wirt bei der Arbeit, und das Mädchen ging in die Küche und half kochen, braten und backen. Nach einigen Stunden trat der Wirt vor den Rabbi und meldete: »Rabbi, das Hochzeitsmahl ist fertig.« Baal-Schem fragte ihn, ob er viel fremde Gäste in der Herberge hätte. Der Wirt antwortete, es sei niemand da, außer einem jungen Diener und einem jungen Dienstmädchen. Und Baal-Schem befahl dem Wirt: »Bringe mir die beiden her!«

Als sie zum heiligen Rabbi ins Zimmer kamen, gab er ihnen die mitgebrachten Hochzeitskleider, ließ sie die Kleider anziehen und sich setzen. Er sagte ihnen, daß bald ihre Hochzeit gefeiert werden würde. Die Braut und der Bräutigam saßen so an die zwei Stunden. Da kamen einige Kutschen zur Herberge, und den Kutschen entstiegen sieben Männer von ehrwürdigem Aussehen. Mit dem Rabbi, dem Bräutigam und dem Gastwirt waren es also genau zehn Männer, wie es sich bei einer Trauung gehört. Der Wirt war darüber sehr erstaunt. Die sieben Gäste waren aber unsere heiligen Väter: Abraham, Isaak, Jakob, Moses, Aaron, David und der Prophet Elia.

Der heilige Israel Baal-Schem sprach bei der Trauung die Segenssprüche, und dann setzten sich alle zu Tisch. Man aß und trank mit großer Freude. Nach dem Essen wurden von den Gästen, der Sitte gemäß, die Hochzeitsgeschenke ausgerufen. Der Gastwirt sah der Feier zu und schwieg; doch das Ganze war ihm ein Wunder. Einer der Gäste rief mit lauter Stimme: »Ich schenke dem jungen Paar den Ochsenstall des Gutsherrn. Das schenke ich dem jungen Paar.« Und ein anderer Gast rief mit lauter Stimme: »Ich schenke dem jungen Paar das Schmuckkästchen mit den Perlen und Edelsteinen der alten Gutsherrin. Das schenke ich dem jungen Paar.« Und Baal-Schem rief mit lauter Stimme: »Ich schenke dem jungen Paar diese Herberge auf ewige Zeiten. Das schenke ich dem jungen Paar.« Dann sprach man das Tischgebet, und alle Gäste nahmen Abschied und fuhren fort. Nur das junge Paar und Baal-Schem blieben in der Herberge. Die Neuvermählten hielten alle die versprochenen Geschenke für Trug. Denn augenblicklich besaßen sie gar nichts.

Lieber Leser, nun kannst du sehen, wie sehr die Fürsorge des Herrn und seine Wunder jede menschliche Vorstellung übertreffen. Der Gutsherr, dem das Dorf gehörte, hatte einen einzigen Sohn im Alter von zehn Jahren, den er mehr als sich selbst liebte. Nun traf es sich zwei Tage vor der Hochzeit, daß der Knabe plötzlich verschwand. Der Vater war wie irrsinnig. Er ließ die ganze Gegend absuchen, doch das Kind war nirgends zu finden.

Als der junge Ehemann am Morgen nach der Hochzeit aufstand, sagte er zum Wirt: »Ich will Euch um etwas bitten: leiht mir Euer Fuhrwerk, damit ich in die nächste Stadt zu meinem Onkel fahre. Ich will meinen Onkel um eine Stellung für mich bitten, damit ich mein junges Weib ernähren kann. Ich werde bald wiederkommen und Euch das Fuhrwerk zurückgeben.« Da der

Wirt sah, wie sehr sich der heilige Baal-Schem um den jungen Mann bemüht hatte, konnte er ihm die Bitte nicht abschlagen und lieh ihm sein Fuhrwerk. Und der junge Mann fuhr von dannen.

Unterwegs mußte er über eine Brücke. Da hörte er von unter der Brücke ein leises Wimmern und Stöhnen. Anfangs erschrak er, dann ging er aber unter die Brücke und sah aus dem Sumpfe den Kopf eines Kindes herausragen. Das Kind war bewußtlos, doch noch am Leben. Der Mann zog es mit großer Mühe aus dem Sumpfe heraus. Es war das Söhnchen des Gutsherrn, das seit drei Tagen verschwunden war. Der Mann hatte Mitleid mit dem Kinde; er reinigte es vom Schmutz und bekleidete es mit seinen eigenen Kleidern. Als der Knabe zu sich kam, sagte er: »Ich bin der Sohn des Gutsherrn. Ich weiß, daß mein Vater mich überall sucht. Bringt mich bitte zu meinem Vater.« Der Mann tat so und fuhr mit dem Knaben, der ihm den Weg zeigte, zum Gutshof. Als sie dort ankamen, gab es eine große Freude. Der Knabe rief: »Vater, Mutter, wäre nicht dieser Jude, so wäre ich nicht mehr am Leben!« Die Eltern waren sehr gerührt, und der Gutsherr schenkte dem Manne die Herberge auf ewige Zeiten; und die Gutsherrin schenkte ihm den Ochsenstall mit den Ochsen. Und die Mutter des Gutsherrn, die Großmutter des Kindes, schenkte ihm ihr Schmuckkästchen mit allen ihren Perlen und Diamanten. So gingen die Versprechen der wunderbaren Hochzeitsgäste in Erfüllung. Und das Paar lebte bis an sein Ende in großem Reichtum.

DER GOTTGEFÄLLIGE TANZ

Der heilige Baal-Schem, seligen Angedenkens, saß einmal Freitag abends mit seinen Schülern beim Mahl, mit dem der Einzug des Sabbats gefeiert wird. Er pflegte bei solchen Mahlzeiten mit seinem ganzen Wesen bei Gott, gesegnet sei sein Name, zu sein. Er war nicht mehr auf dieser Welt, sondern alle seine heiligen Gedanken waren beim Allmächtigen. Kaum war der Segensspruch über den Wein gesprochen, als Baal-Schem plötzlich in Gelächter ausbrach. Die Schüler waren darüber höchst erstaunt, denn sie hatten bei ihm dergleichen noch nie erlebt. Sie wagten aber aus Ehrfurcht nicht, ihn nach dem Grunde seines Lachens zu fragen, und schwiegen. Doch mitten in der Mahlzeit fing der heilige Baal-Schem wieder zu lachen an, und die Schüler waren von neuem erstaunt. Und so geschah es dreimal. Niemand wußte die Ursache dieses Gebarens.

Unter den Schülern befand sich der heilige Rabbi Wolf Kizes, den Baal-Schem sehr liebte. Rabbi Wolf durfte ihm jeden Sabbatabend die Tabakspfeife anzünden, und Baal-Schem pflegte ihm dabei zu erzählen, was er während des Sabbats alles im Geiste erlebt hatte. Als nun der Sabbat zu Ende ging, baten alle Schüler den frommen Rabbi Wolf, er möchte Baal-Schem fragen, welche Bewandtnis es mit seinem Lachen gehabt habe. Rabbi Wolf fragte den heiligen Baal-Schem danach, doch dieser gab keine Antwort, sondern befahl allen Schülern, die Werktagskleider anzuziehen und mit ihm ein wenig aus der Stadt hinauszufahren.

Die Schüler taten so, wie ihnen geheißen, doch sie wußten nicht, wohin er mit ihnen fahren würde. Baal-Schem fuhr mit ihnen die ganze Nacht durch und kam erst am Morgen in die Stadt Kozienice. Dort begab er sich mit seiner Begleitung in das Haus des Gemeindevorstehers, der ihn und seine Schüler mit großen Ehren aufnahm, denn der Name des heiligen Baal-Schem war damals groß in der ganzen Welt. Bald kamen ins Haus alle angesehenen Gemeindemitglieder, doch der Rabbi begann sein Morgengebet zu verrichten. Und als er damit fertig war, befahl er, daß man ihm den Buchbinder Reb Schabsai und dessen Weib hole. Darüber waren alle sehr erstaunt, denn Reb Schabsai war zwar ein ordentlicher Mensch, doch durchaus einfach und ungebildet. Als der Buchbinder und seine Frau vor dem heiligen Baal-Schem standen, sagte dieser: »Ich bitte dich, erzähle mir alles, was du am letzten Freitagabend gemacht hast. Du sollst aber nichts verheimlichen.«

Darauf antwortete der Buchbinder Reb Schabsai: »Ich bitte Euch, Rabbi, vielleicht habe ich etwas nicht recht getan, so mögt Ihr es mir sagen. Ich will Euch aber alles erzählen, wie es gewesen ist. Ich bin Handwerker und habe mich immer von der Arbeit meiner Hände ernährt und noch niemals fremder Hilfe bedurft. Es war bei mir Sitte, daß ich schon am Donnerstag alles anschaffte, was wir für den heiligen Sabbat brauchten. Am Freitag begab ich mich immer schon um zehn Uhr früh in die Synagoge und las das Hohelied und die Psalmen bis zum Abend. Und so feierte ich den Sabbat nach meinem ganzen Vermögen. Jetzt aber, da ich alt geworden bin, habe ich nicht mehr die frühere Kraft und kann nicht viel arbeiten, und so mußte ich meine ganze Habe verkaufen, um mich zu ernähren. Und zuletzt kam es so, daß ich nichts mehr zu verkaufen hatte, um mir für den Erlös wenigstens ein Stück Brot für den Sabbat zu kaufen. Den ganzen letzten Donnerstag hoffte ich noch, daß der Allmächtige mir etwas bescheren würde, womit ich den Sabbat begehen könnte. Denn hätte er meine Lage jemandem offenbart, so wäre mir geholfen: das heilige Volk der Juden würde es ja nicht zulassen, daß ich am Sabbat faste. Da ich aber nicht wollte, von der Gnade eines Wesens aus Fleisch und Blut etwas zu nehmen, hatte ich beschlossen, am Sabbat lieber zu fasten. Der Herr könnte mir aber auch im letzten Augenblick noch helfen. Nun fürchtete ich, daß mein Weib die Sache den Nachbarn erzählen könnte; darum nahm ich ihr, bevor ich in die Synagoge ging, das Versprechen ab, niemandem etwas von unserer Lage zu erzählen. Auch sagte ich ihr, ich werde später als sonst aus der Synagoge heimkommen, denn ich wollte abwarten, bis alle gegangen sind: wäre ich mit den andern Menschen heimgegangen und hätte mich jemand gefragt, warum in meinem Haus kein Licht brennt, so wüßte ich nicht, was ich antworten sollte.

Ich ging also wie gewöhnlich um zehn Uhr ins Bethaus und las das Hohelied und die Psalmen. Mein Weib begann indessen das Haus aufzuräumen, den Staub abzuwischen und die Stube zu kehren. Und beim Aufräumen fand sie ein Paar Ärmel, in denen silberne Knöpfe steckten. Diese Ärmel hatten wir vor sehr langer Zeit verloren, und nun kamen sie ganz plötzlich wieder zutage. Sie verkaufte sofort die Knöpfe, und der Erlös reichte gerade, um alles für den Sabbat anzuschaffen: Weißbrot, Lichter, Fische und alles übrige, wie es bei uns im Hause immer Sitte war. Sie hatte aber diesmal längere Lichter gekauft, denn sie wußte, daß ich später als sonst aus dem Bethause kommen würde. Wie ich nun abends heimgehe, sehe ich schon aus der Ferne, daß es bei mir im Hause sehr hell ist, und ich sage mir:

Mein Weib hat sich sicher nicht beherrschen können und hat etwas den Nachbarn erzählt, und diese haben ihr Lichter geschenkt. Und wie ich ins Haus komme, sehe ich den fein gedeckten Tisch mit Brot und Wein, und ich denke mir, daß das doch sicher ein Geschenk eines Wesens von Fleisch und Blut ist; und doch hatte mir mein Weib mit Handschlag gelobt, niemandem ein Wort zu sagen. Ich wollte aber nicht den Sabbat stören und sie gleich zu Beginn streng fragen, woher alle die Dinge kämen. Darum begrüßte ich sie wie sonst, sprach das Gebet über den Wein und setzte mich essen. Doch während der Mahlzeit sagte ich ihr: ›Du hast dich doch nicht beherrschen können und die Prüfung nicht bestanden!‹ — Doch sie erwiderte darauf: ›Kannst du dich noch erinnern, daß wir einmal vor Jahren ein Paar Ärmel mit silbernen Knöpfen verloren haben? Diese habe ich jetzt gefunden und verkauft, und der Erlös reichte gerade für den Sabbat.‹

Nun sah ich, daß der Herr niemanden verläßt, der auf ihn statt auf menschliche Hilfe baut. Und als ich das begriff, wurde ich voller Freude ob der großen göttlichen Gnade, und ich nahm mein Weib bei der Hand und tanzte mit ihr eine ganze Weile. Und so tat ich dreimal vor großer Freude, daß der Herr mir alles gegeben hat, was ich für den Sabbat brauchte, ohne daß ein Wesen von Fleisch und Blut mir hat helfen müssen. Nun bitte ich Euch, Rabbi, wenn es nicht recht von mir war, daß ich mit meinem Weib am Sabbat tanzte, so sagt es mir. Ich tat es aber aus vollem Herzen, um den Herrn zu loben.«

Als der Buchbinder mit seiner Erzählung fertig war, sagte der heilige Baal-Schem zu seinen Schülern: »Glaubt mir, es war eine große Freude in allen Himmeln und bei allen Heerscharen!« Nun verstanden die Schüler, warum er dreimal gelacht hatte.

Dann fragte Baal-Schem die Frau des Buchbinders, was sie lieber haben möchte: Reichtum, daß sie ihr Leben in Ehren beschließen könnte, oder einen Sohn. Denn die Buchbinderleute waren kinderlos und schon in älteren Jahren. Und die Frau sagte, daß sie lieber einen Sohn haben möchte. Baal-Schem versprach ihr darauf: »Du wirst einen Sohn gebären, und sein Name wird leuchten auf der ganzen Welt. Du sollst ihn Israel nennen, so wie ich heiße, und wenn er zur Welt kommt, sollst du es mich wissen lassen. Dann werde ich zur Beschneidungsfeier kommen und werde sein Pate sein.«

Und so geschah es. Die Frau des Buchbinders wurde

Mutter des berühmten Maggids Israel von Kozienice, und was dieser für ein heiliger Mann und Wundertäter gewesen ist, ist jedem bekannt. Er war sein Leben lang schwach und kränklich, weil er von alten Eltern geboren war. Er lag fast immer im Bette, doch sooft die Stunde des Gebets kam, sprang er auf wie ein Löwe. Sein Segen sei auf uns, und es möchte uns vergönnt sein, Gott zu dienen und viel Freude zu erleben. Amen. Aus dieser Geschichte kann man lernen, wie wichtig es ist, den Sabbat zu heiligen, denn dadurch kann man der Gnade teilhaftig werden, berühmte Wundertäter und Gelehrte zu Söhnen zu haben. Amen.

STARKES GOTTVERTRAUEN

Der heilige Maggid Dow-Bär von Mesritsch strafte einmal einen Chassid vor der ganzen Gemeinde, weil er zu wenig Gottvertrauen zeigte. Der Chassid sagte: »Lehrt mich, Rabbi, wie man Gottvertrauen erlangt, vielleicht werde ich es lernen können.« Der Rabbi antwortete darauf: »Fahr nach Hause und bereite dich auf eine weite Reise vor; dann komm wieder her, und ich schicke dich an einen Ort, wo du lernen wirst, was Gottvertrauen heißt.« Der Mann fuhr nach Hause, packte seine Sachen zusammen und kam wieder zum heiligen Maggid, der ihm befahl: »Reise nach Berditschew und kehre bei dem und dem Manne ein, der als sehr reich bekannt ist; von diesem reichen Manne kannst du lernen, was Gottvertrauen ist. Du sollst aber gut aufpassen, denn der Reiche ist sehr verschlossen.«

Der Chassid fuhr nach Berditschew und kehrte bei dem Reichen ein. Dieser nahm ihn sehr freundlich auf und fragte ihn nach seinem Begehren. Der Chassid erwiderte: »Der heilige Maggid von Mesritsch hat mich mit einem geheimen Auftrag hergeschickt und hat mir befohlen, bei Euch einzukehren.« Der Reiche gab ihm ein Zimmer in seinem Hause und befahl seinen Dienern, alle seine Wünsche zu erfüllen.

Der Gast verbrachte eine Woche im Hause des Reichen und sah, daß dieser auf großem Fuße lebte, sehr viel Almosen gab und große Geschäfte führte: täglich kamen Leute mit Schuldscheinen, die er immer sofort und bar bezahlte. Der Chassid sagte sich: »Es ist gar nicht schwer, Gottvertrauen zu haben, wenn man so reich ist!« Er konnte auch gar keine Beweise für dieses Gottvertrauen entdecken. Nur eine Sache erschien ihm wunderlich: der Reiche hatte viele Diener, einen Buchhalter, einen Kassierer und einen Schreiber, und doch verwahrte er den Schlüssel von einem bestimmten Zimmer immer bei sich und vertraute ihn selbst seinem Weibe und seinen Kindern nicht an. Der Gast fragte das Hausgesinde, und man sagte ihm, daß in diesem Zimmer die Geldtruhe des Reichen stehe, und darum erlaube er niemandem, das Zimmer zu betreten.

Der Gast konnte seine Absichten nicht länger verheimlichen und erzählte dem Reichen, wozu ihn der heilige Maggid hergeschickt hatte und daß er bei seinem Gastgeber noch nichts von Gottvertrauen habe wahrnehmen können. Der Reiche führte ihn in das verschlossene Zimmer und sagte ihm: »Schau dir gut die Geheimnisse des Zimmers an, denn hier ist der Schatz, aus dem ich Gold schöpfe.«

Der Gast sah sich im Zimmer um und sah nichts als einen Tisch, einen Stuhl, ein Bett und ein kleines Kästchen. Der Reiche öffnete das Kästchen, und der Gast sah, daß darin nur ein Büchlein lag, in dem der Reiche seine Ausgaben für milde Werke verzeichnete, und außerdem einige Rechnungen; sonst lag darin nichts. Er dachte anfangs, daß das Kästchen ein verborgenes Fach habe, konnte aber ein solches nicht finden. Und der Reiche sagte: »Mein ganzes Hausgesinde glaubt, daß ich hier einen Schatz verwahre, aus dem ich Gold schöpfe. Du siehst aber selbst, daß ich nichts besitze. Mein Gottvertrauen ist so stark, daß, wenn ich eine Schuld oder sonst etwas zu zahlen habe, ich mich in diesem Zimmer einschließe, mich auf diesen Stuhl setze und mit großer

Zerknirschung bete: ›Schöpfer der Welt, ich muß heute soundso viel zahlen, und ich hoffe auf dich, daß du mir helfen wirst, damit ich mein Versprechen erfülle!‹ Und so geschieht es immer: der Herr hilft mir im selben Augenblick. Du begreifst jetzt wohl, daß der heilige Maggid dich nicht umsonst zu mir geschickt hat, damit du von mir Gottvertrauen lernst. Wohl ist dem Menschen, der auf Gott und nicht auf Menschen vertraut!«

Und wie sie so sprachen, klopfte ein Diener an die Türe und sagte dem Reichen, daß ein Bote vom Gutsherrn mit einem Wechsel über eine große Summe gekommen sei und daß er auf das Geld warte. Der Reiche befahl, daß der Bote bis zum Abend warten solle. Darauf wandte er sich wieder zu seinem Gast und sagte ihm: »Ich muß heute noch eine Schuld von tausend Dukaten bezahlen und habe keinen Pfennig. Ich hoffe aber auf den Schöpfer, daß er mir bald helfen wird. Wollen wir hinausgehen und du wirst bald sehen, welche Wunder der Schöpfer denen tut, die auf ihn vertrauen.«

Sie gingen beide in das Wohnzimmer. Der Reiche setzte sich vor den Tisch und begann Rechnungen nachzuprüfen. Der Gast saß ihm gegenüber und sah zu. Da kam wieder der Diener herein und meldete, daß ein Schiffskapitän gekommen sei und den Reichen sprechen möchte. Er befahl, ihn vorzulassen. Der Schiffskapitän trat ein und sagte: »Ich möchte Euch zehntausend Dukaten in Verwahrung geben, denn ich bekam heute den Befehl, in den Krieg zu ziehen. Ich will kein Geld mitnehmen, denn vielleicht falle ich in einer Schlacht. Kinder habe ich nicht, und da ich gehört habe, daß Ihr ein ehrlicher Mann seid, will ich das Geld Euch in Verwahrung geben, bis ich wiederkehre. Für Eure Mühewaltung schenke ich Euch tausend Dukaten. Und ich bitte Euch, wenn ich nicht zurückkehre, das Geld für gottgefällige Werke zu verwenden, die mir auf jener Welt nützen können.«

Der Reiche nahm das Geld in Empfang, gab dem Kapitän einen Schuldschein auf neuntausend Dukaten, begleitete ihn hinaus und wünschte ihm, daß der Herr ihn unversehrt heimbringen möchte. Der Gast saß indessen sehr verwundert da. Der Reiche kam zurück und sagte: »Also siehst du selbst, wie der Allmächtige hilft, wenn man auf ihn vertraut. Nun ist es Zeit, daß du heimfährst. Miete dir einen Wagen, und der Herr wird dich wohlbehalten nach Hause bringen und dir Gottvertrauen geben.« Der Gast sagte, daß er gar kein Geld für die Reise hätte. Der Reiche lachte darüber: »Du hast wohl noch nicht genügend gelernt!« Und er schenkte ihm zweihundert Dukaten, nahm von ihm Abschied und wünschte ihm noch einmal, daß seine Reise nicht umsonst sein sollte.

Der Chassid verließ Berditschew und wunderte sich sehr darüber, daß man so große Geschäfte führen könne, ohne einen Pfennig Geld zu besitzen. Unterwegs hörte er plötzlich ein fürchterliches Geschrei. Er sprang aus dem Wagen, lief hin und sah, daß man zwei Weiber, mit Ketten gefesselt, führte; ihre Kinder liefen ihnen nach und schrien jämmerlich. Der Mann fragte die Weiber, wohin man sie führe, und sie gaben ihm weinend zur Antwort: »Wir sollen gehenkt werden, weil wir seit zwei Jahren dem Gutsherrn keine Pachtzinsen zahlen konnten. Unsere Männer sind entflohen, und nun führt man uns zum Galgen.« Der Mann bekam großes Mitleid mit den Frauen und sagte ihnen: »Hört auf zu weinen, ich werde mit Gottes Hilfe für euch bezahlen.« Und er wandte sich zu den Schergen und sagte: »Führt mich zu eurem Herrn, ich will die Schuld dieser Weiber bezahlen.« Man brachte ihn vor den Gutsherrn, und er fragte, wie groß die Schuld der Weiber sei, und man antwortete ihm: »Zweihundertundfünfzehn Dukaten.« Der Mann versuchte etwas davon abzuhandeln, doch der Gutsherr wollte keinen Pfennig nachlassen. Der

Chassid gab also dem Gutsherrn die zweihundert Dukaten, die er besaß, und für den Rest von fünfzehn Dukaten gab er ihm als Pfand seinen Gebetmantel, seine Gebetriemen und die übrigen Habseligkeiten, die er bei sich hatte.

Die Weiber wurden freigelassen, und sie lobten den Herrn und dankten dem Mann, der sie vom Tode errettet hatte. Der Chassid reiste weiter; er gedachte der Worte, die ihm der Reiche auf den Weg gegeben hatte, und vertraute auf Gott. Gegen Abend kam er in Chmelnik an und kehrte in ein Wirtshaus ein, um da über Nacht zu bleiben. Bevor er sich schlafen gelegt hatte, kam in das gleiche Wirtshaus ein Kaufmann und legte sich im gleichen Zimmer schlafen. Wie es auf Reisen geht, kamen die beiden ins Gespräch, und der Kaufmann fragte den Chassid, woher er sei. Dieser antwortete, er sei aus einer kleinen Stadt in der Nähe von Totsch. Da fragte der Kaufmann: »Wie heißt du und wie hieß dein Vater? Denn ich stamme aus derselben Stadt und bin vor fünfundzwanzig Jahren von dort weggezogen.« Der Chassid gab Antwort, und der Kaufmann sagte: »Ich kannte deinen Vater sehr gut. Und wie geht es deinem Bruder? Und wie geht es dir?« Und als er auf alle Fragen Antwort bekommen hatte, sagte er noch: »Ich will dich um etwas bitten: ich habe einen armen Verwandten in der Stadt, durch die du reist. Neulich ist einer unserer gemeinsamen Verwandten gestorben und hat eine große Erbschaft hinterlassen. Seinen Teil der Erbschaft will ich ihm nun durch dich schicken. Ich kenne deine Familie und weiß, daß du fremdes Geld nicht veruntreuen wirst.« Der Chassid übernahm den Auftrag, und der Kaufmann gab ihm eine große Geldsumme und einen Brief an seinen Verwandten. Außerdem gab er ihm für seine Mühe ein schönes Geldgeschenk.

Inzwischen wurde es Tag, und der Kaufmann fuhr

weg. Auch der Chassid reiste weiter und kam in die Stadt, wo er das Geld abliefern sollte. Er suchte den Betreffenden, konnte ihn aber nicht finden, und die ältesten Leute, die er befragte, sagten ihm, daß ein solcher Mensch in dieser Stadt niemals gelebt habe. So verbrachte er zwei Tage in der Stadt, forschte überall nach, doch immer ohne Erfolg. Das kränkte ihn sehr. Schließlich fuhr er nach Hause und von dort nach Mesritsch zum heiligen Maggid Dow-Bär. Er erzählte ihm die ganze Geschichte und sagte, daß er jetzt nicht wisse, was er mit dem Gelde anfangen solle. Der heilige Maggid antwortete ihm: »Das Geld gehört dir. Der Kaufmann, der es dir gab, war kein einfacher Mensch, sondern ein Engel, den man dir geschickt hatte, weil du Menschenseelen vom sicheren Tod errettet hast und weil du stark auf den Herrn hofftest. Nun sollst du mit dem Gelde gute Werke tun, soweit du kannst. Und wenn du immer das gleiche Gottvertrauen haben wirst, wird dich der Herr, gesegnet sei sein Name, nicht verlassen.«

Aus dieser Begebenheit kann man sehen, wie wichtig das Vertrauen auf den Herrn, gesegnet sei sein Name, ist. Die Verdienste der Frommen mögen über uns leuchten, und der Herr schicke uns alles Gute. Amen.

DIE VERSCHMÄHTE BRAUT

Es war einmal ein frommer Chassid, der oft zum Rabbi Israel von Kozienice, den man gewöhnlich den Kozienicer Maggid nennt, zu fahren pflegte; und der heilige Rabbi liebte ihn sehr. Der Mann hatte keine Kinder, und er bat oft den Rabbi von Kozienice, er möchte ihm vom Himmel Kinder erflehen. Der Rabbi gab ihm aber darauf niemals Antwort. Das Weib dieses Mannes war darob sehr betrübt, und sie sagte immer, ihr Leben sei ihr nichts wert, wenn sie keine Kinder hätte. Und sie erklärte sich bereit, alles zu tun, was der Rabbi ihr auferlegen würde; doch der Rabbi sagte gar nichts.

Als der Chassid einmal wieder aus Kozienice zurückkam, fing die Frau zu weinen an und sagte, sie wolle weggehen und in der Welt herumirren, wenn der Mann vom Kozienicer Maggid nichts erreichen würde. Und sie weinte so lange, bis der Mann wieder nach Kozienice fuhr und dem Maggid sagte, er könne das Weinen seiner Frau nicht länger aushalten, es durchbohre ihm den Kopf; er werde nicht eher heimfahren, als bis der Maggid ihm endlich einen Bescheid geben würde. Und der Maggid sagte ihm: »Wenn du bereit bist, dein ganzes Vermögen zu verlieren, kannst du Kinder haben.« Und der Chassid antwortete darauf: »Ich will erst mein Weib fragen.« Er fuhr nach Hause und erzählte seinem Weib, was ihm der Maggid gesagt hatte. Das Weib sagte: »Was taugt mir der ganze Reichtum, wenn ich keine Kinder habe! Ich will lieber arm an Geld und reich an Kindern sein.«

Der Mann fuhr wieder nach Kozienice und meldete dem Maggid die Antwort seiner Frau. Der Maggid befahl ihm, nach Hause zu fahren, sein ganzes Vermögen zu holen und wieder zurückzukommen. Dann werde er ihm sagen, was er weiter tun müsse. Er tat so, sammelte sein ganzes Geld zusammen und kam wieder zum Maggid. Dieser sagte ihm nun, er solle nach Lublin fahren, dort den heiligen Lubliner Rabbi Jizchak aufsuchen und ihn fragen, was er tun müsse, um Kinder zu bekommen. Der Mann fuhr nach Lublin, ging zum heiligen Rabbi Jizchak und sagte ihm: »Der Kozienicer Maggid hat mich zu Euch geschickt, daß Ihr mir sagt, was ich tun muß, damit mir der Herr – gesegnet sei sein Name – Kinder schenke.« Der Rabbi hieß ihn warten, und der Mann blieb einige Zeit in Lublin.

Nach einiger Zeit ließ ihn der Lubliner Rabbi holen und sagte ihm: »Du warst von Kind auf mit einem Mädchen verlobt, doch als du groß wurdest, gefiel dir deine Braut nicht mehr, und du verschmähtest sie. So lange du deine frühere Braut nicht um Vergebung gebeten hast, wirst du keine Kinder haben. Doch die Braut wohnt sehr weit von hier, und du mußt weit reisen, um sie zu suchen. Ich will dir aber einen Rat geben: fahre nach Balta zum Jahrmarkt und erkundige dich überall nach ihr; dort wirst du sie vielleicht finden. Du mußt sie dann um Verzeihung bitten, und wenn sie es dir verzeihen wird, wirst du Kinder haben. Der Kozienicer Maggid wußte das ebenso gut wie ich, doch er wollte es dir nicht sagen.«

Der Mann tat, wie ihm geheißen, und reiste nach Balta. Unterwegs erkundigte er sich nach seiner früheren Braut, doch niemand konnte ihm Auskunft geben. Er kam nach Balta einige Wochen vor dem Jahrmarkte.

Er mietete sich ein Stübchen im Gasthaus und saß den ganzen Tag da, studierte den Talmud und weinte viel. Nur einige Stunden am Tage ging er in den Straßen umher, in der Hoffnung, irgend etwas zu erfahren, erfuhr aber nichts. Als der Jahrmarkt begann, ging er den ganzen Tag von früh bis spät in den Straßen umher, hörte aber nichts von seiner Braut. Der Jahrmarkt ging zu Ende, und der Mann wollte schon heimfahren, er gedachte aber der Worte des Lubliner Rabbi, der ihm gesagt hatte, daß er nicht eher von Balta wegreisen dürfe, als bis er seine frühere Braut gefunden haben würde. Und er nahm sein ganzes Gottvertrauen zusammen.

Gegen Abend wollte er in sein Gasthaus zurückkehren, als plötzlich ein starker Regen begann; der Mann wollte in einen Kaufladen gehen, um den Regen abzuwarten. Man ließ ihn aber in den Laden nicht hinein, also blieb er vor dem Laden stehen. Dort standen auch viele andere Menschen. Und der Mann bemerkte neben sich eine jüdische Frau mit reichem Schmuck und prächtig gekleidet. Er rückte von ihr etwas weg. Die Frau merkte das, begann zu lachen und sagte zu ihrer Freundin, die neben ihr stand: »Dieser Mann rückt immer von mir weg. Als ich klein war, war ich seine Braut, doch er verschmähte mich. Nun danke ich dem Herrn, gelobt sei sein Name, daß ich reicher bin als er und daß er vor mir flieht.« Als er dies hörte, wandte er sich zu ihr und fragte sie aus. Und sie sagte ihm: »Erkennst du mich denn nicht? Ich bin ja deine frühere Braut Esther-Schifrah!« Und sie sagte ihm noch verschiedene Anzeichen, und er erkannte sie. Und sie fragte ihn: »Wie geht es dir? Bist du reich? Hast du Kinder?« Und er antwortete: »Um die Wahrheit zu sagen, bin ich nur dazu hergekommen, um dich um Vergebung zu bitten, denn der Rabbi von Lublin hat mir gesagt, daß ich nur dann, wenn du mir verzeihst, Kinder haben werde.« Und er bot ihr soviel Geld sie wollte, wenn sie ihm verziehe.

Doch sie sagte: »Ich brauche kein Geld, denn ich bin durch Gottes Hilfe selbst reich. Ich habe aber einen Bruder, er ist Talmudgelehrter und wohnt in einem Dorfe bei Suwalki. Er muß jetzt eine Tochter verheiraten, hat aber keinen Pfennig Geld. Fahr zu ihm hin und gib ihm zweihundert Dukaten für die Mitgift. Dann werde ich dir verzeihen, und der Herr – gelobt sei sein Name – wird dir gewiß helfen, und du wirst fromme und gelehrte Kinder haben.«

Der Mann sagte ihr: »Ich will die zweihundert Dukaten dir übergeben, damit du sie ihm mit der Post schickst. Warum soll ich noch die weite Reise machen? Mich hat die Reise nach Balta fast mein ganzes Vermögen gekostet.« Sie erwiderte aber: »Tu, wie du willst. Ich kann meinem Bruder das Geld mit der Post nicht schicken: wenn es seine Gläubiger erfahren, werden sie ihm alles wegnehmen, und er wird wieder nichts haben, um die Tochter zu verheiraten. Und ich selbst kann nicht hinfahren. Wenn du mir folgen willst, so fahre schnell hin und mache ihm die Freude. Und ich will dir noch sagen, daß ich bald von hier wegfahre und jetzt keine Zeit mehr habe. Reise hin, grüße meinen Bruder, und der Herr wird dir fromme und gelehrte Kinder schenken.« Und mit diesen Worten ging sie von ihm weg. Er ging ihr nach und bat sie, sie möchte ihm doch die weite Reise ersparen; sie geriet aber in einen Haufen von Weibern, und er konnte sie nicht mehr finden. Also mußte er ein Fuhrwerk nach Wilna mieten.

Es versteht sich von selbst, daß diese Reise ihn den Rest seines Vermögens kostete, außerdem mußte er ja zweihundert Dukaten dem Bruder der Frau geben. Doch viel schwerer als das war für ihn die Reise durch fremde Gegenden, in denen er noch niemals gewesen war. Mit Gottes Hilfe kam er aber nach Wilna und fand dort eine Fuhre nach Suwalki. Wie er nach Suwalki kam, erfragte er das Dorf und kam direkt zum Bruder seiner früheren Braut, der Pächter war. Der Pächter war sehr traurig; er begrüßte den Fremden, sagte ihm aber sonst kein Wort. Der Fremde fragte ihn: »Warum seid Ihr so traurig? Sagt es mir, vielleicht werde ich Euch irgendwie helfen können.« Der Pächter erwiderte: »Was werde ich davon haben, wenn ich es Euch erzähle? Kein Mensch kann mir helfen, nur der Herr selbst.« Der Gast drang in ihn, und der Pächter erzählte: »Meine Tochter ist mit einem vornehmen Mann in Suwalki verlobt, und ich hatte zweihundert Silberrubel Mitgift und die ganze Aussteuer versprochen. Ich hatte das Geld schon zusammengespart, doch vor dem Pessachfeste geschah mir das Unglück: der Besitzer des Dorfes erhöhte den Pachtzins und verlangte das Geld für ein ganzes Jahr im voraus. Ich habe aber viele Schulden und kann die Pacht nicht zahlen. Also mußte ich alle meine Ersparnisse weggeben und kann jetzt die Tochter nicht verheiraten. Gestern bekam ich vom Vater des Bräutigams einen Brief mit dem Verlobungsvertrag; er schreibt mir, wenn ich die Mitgift nicht innerhalb dreier Tage einzahle, werde er seinen Sohn mit einem andern Mädchen verheiraten. Meine Tochter vergießt Tränen, denn der Bräutigam ist ein trefflicher Jüngling, wie man seinesgleichen in der Stadt nicht mehr findet. Auch mir ist es bange ums Herz. Was kann ich aber tun? Ich gehe umher mit zerbrochenem Herzen, vielleicht wird sich der Herr meiner erbarmen.« So sagte der Pächter zum Gast.

Und der Gast antwortete ihm: »Seid unbesorgt: ich will Euch zweihundert Dukaten geben, und Ihr werdet genug für die Mitgift und alle Auslagen haben.« Der Pächter fragte: »Warum wollt Ihr mir so viel Geld schenken?« Und der Gast antwortete: »Ich war einmal mit Eurer Schwester Esther-Schifrah verlobt, habe sie aber nicht geheiratet. Nun bin ich zu ihr gefahren, um sie um Verzeihung zu bitten, sie wollte mir aber nur unter der Bedingung verzeihen, daß ich Euch zweihundert Dukaten gebe.«

Als der Pächter das hörte, geriet er in Zorn und sagte: »Geht weg, denn Ihr spottet meiner: meine Schwester ist seit fünfzehn Jahren tot.« Doch der Chassid sagte zum Pächter: »Ich schwöre Euch, daß ich nicht spotte. Es ist aber möglich, daß Ihr nicht der Mensch seid, zu dem man mich geschickt hat. Sagt mir also bitte, ob Ihr Reb Lejb heißt und ob Ihr eine Schwester namens Esther-Schifrah habt.« Und der Pächter sagte: »Das stimmt. Kommt, ich will Euch das Grab meiner Schwester zeigen. Sagt mir aber, wie und wo Ihr sie gesehen habt.« Der Chassid antwortete: »Nehmt das Geld, das mir Eure verstorbene Schwester Euch zu bringen befahl.« Und er erzählte ihm die ganze Geschichte, die wir oben geschildert haben. Nun sah auch der Bruder, daß der Mann die Wahrheit sprach, und er dankte dem Schöpfer, der ihm in einer so schwierigen Lage geholfen hatte.

Der Chassid nahm Abschied vom Pächter und reiste in seine Heimat. Er ging zum Kozienicer Maggid und erzählte ihm alles, was er erlebt hatte. Und der Maggid sagte ihm: »Es hat gar nicht anders sein können. Weil du einst deine Braut verschmäht hast, wurde über dich die Strafe verhängt, daß du niemals Kinder haben sollst. Wir beteten aber für dich, und darum sandte man die Braut vom Himmel herab, damit du sie um Vergebung bitten konntest. Und da du ihren Wunsch erfüllt hast, wird dich der Himmel mit frommen und gelehrten Kindern belohnen.« Und so geschah es auch. Darum soll man es nicht für gering halten, eine Verlobung zu lösen.

DIE AUSGESCHÜTTETE SUPPE

Als der heilige Rabbi Menachem-Mendel bei seinem Lehrer, dem heiligen Rabbi Elimelech, studierte, war er noch niemandem als Wundertäter und Mann des heiligen Geistes bekannt. An einem Sabbat saß er mit den übrigen Jüngern an der Tafel des Meisters. Als der Diener die Suppe auftrug, nahm Rabbi Elimelech die Schüssel und schüttete die ganze Suppe aus. Rabbi Menachem-Mendel erschrak und rief aus: »O wehe, mein Rabbi, jetzt wird man uns alle in den Kerker werfen!« Die Jünger, die dabeisaßen, wären beinahe in ein schallendes Gelächter ausgebrochen, und nur die Ehrfurcht vor dem Meister hielt sie davon ab. Rabbi Elimelech antwortete aber: »Sei unbesorgt, mein Sohn, habe keine Angst: wir sind ja alle hier beisammen!«

Alle Anwesenden waren darüber sehr verwundert, und Rabbi Elimelech erzählte ihnen selbst, was vorgefallen war: »Einer der kaiserlichen Beamten hatte böse Absichten gegen die Juden des ganzen Landes. Er hatte schon einigemal Anzeigen und Erlasse gegen die Juden verfaßt, um sie seinem Kaiser vorzulegen, damit er sie mit einem Siegel versehe. Doch jedesmal passierte ihm dabei ein Schreibfehler oder sonst irgendein Unglück, und das Papier fiel so aus, daß es dem Kaiser gar nicht vorgelegt werden konnte. Heute gelang es ihm aber, so daß er es dem Kaiser hätte vorlegen können. Als er mit dem Schreiben fertig war, ergriff er das Sandfaß, um auf das Papier Sand zu streuen. In diesem Augenblick kehrte ich die Suppenschüssel um, damit er dasselbe tue. Und er vergriff sich und nahm statt des Sandfasses das Tintenfaß und schüttete die Tinte auf das Papier aus. Menachem-Mendel hat das alles gleich mir im Geiste gesehen. Er war im Geiste gar nicht mehr hier und hatte vergessen, daß ich hier am Tische sitze; es kam ihm vor, als ob ich es gewesen wäre, der die Tinte ausgeschüttet hatte. Darum erschrak er so sehr und glaubte, daß man uns alle ins Gefängnis werfen würde.«

An jenem Tage begriffen alle, daß der junge Menachem-Mendel im Geiste Dinge sehen konnte, die sonst niemand sah.

EINE BEKEHRUNG

Rabbi Pinchas von Korez hatte in vielen Städten Anhänger, die durch jährliche Zahlungen für seinen Lebensunterhalt sorgten. Der Rabbi stellte alljährlich eine Liste zusammen mit den Beiträgen, die jeder einzelne zu zahlen hatte, und zwei seiner Schüler bereisten mit dieser Liste die Städte und Dörfer und sammelten die Gelder ein. Einmal setzte der Rabbi auf seine Liste statt eines gewissen reichen Mannes, der ihm immer viel zu zahlen pflegte, dessen Sohn. Die Schüler wunderten sich darüber sehr. Doch als sie in die Stadt kamen, wo der Reiche wohnte, erfuhren sie, daß er soeben gestorben war und sein Sohn das ganze Vermögen geerbt hatte. Dieser Sohn zahlte dem Rabbi den Betrag, der auf der Liste stand.

Einige Jahre später setzte der Rabbi auch diesen Sohn nicht mehr auf seine Liste. Die Schüler erschraken sehr, denn sie erinnerten sich noch, was geschehen war, als der Rabbi den Vater nicht eingetragen hatte. Wie sie in die Stadt kamen und sich bei den Leuten nach dem Manne erkundigten, sagten die Leute: »Sprecht lieber nicht von ihm: er ist mit seiner ganzen Familie dem jüdischen Glauben abtrünnig geworden und hat in Kleidung und Essen alle Gebräuche der Christen angenommen.« Und als die Schüler fragten, wieso das geschehen sei, gab man ihnen zur Antwort:

»Das kommt davon, daß sein Vater nur mit christlichen Gutsbesitzern zu handeln pflegte. Als der junge Mann alle Geschäfte übernahm, gewöhnte er sich auch alle Sitten der Gutsbesitzer an.«

Nach einigen Jahren setzte der Rabbi diesen Mann wieder auf seine Liste. Die Schüler wunderten sich darüber sehr, denn sie hatten jedes Jahr gehört, daß der Betreffende sich vom jüdischen Glauben immer mehr und mehr entfernte. Als sie in die Stadt kamen und sich nach dem Manne erkundigten, sagte man ihnen, daß er sich ganz plötzlich bekehrt hätte, daß er und seine Angehörigen sich wieder nach jüdischer Sitte kleideten und daß ihre ganze Lebensführung rein und jüdisch geworden sei; doch die Ursache dieser Bekehrung wußte niemand anzugeben. Die Schüler begaben sich sofort zu dem Manne; er ging ihnen entgegen, empfing sie mit großen Ehren und fragte, mit welcher Summe er auf der Liste stünde. Und die Schüler sagten ihm: »Wir wollen dich nach einer geheimen Sache fragen. Solange du nicht auf der Liste des Rabbi standest, hörten wir, daß du auf schlechten Wegen wandeltest. Und nun hat dich der Rabbi wieder auf seine Liste gesetzt.« Der Mann antwortete:

»Ich will euch die ganze Wahrheit sagen, wie sich alles zugetragen hat. Eines Tages schlief ich bei mir zu Hause ein, und es träumte mir, daß ich auf einer Reise sei: denn ich bin ja gewohnt, in meinen Geschäften viel zu reisen. Und es träumte mir, daß ich Hunger bekommen hätte. Schließlich kam ich in eine Stadt, kehrte in ein Gasthaus ein und ließ mir sofort Essen geben, sogar eine Speise, die uns Juden verboten ist. Kaum hatte man mir das Essen aufgetragen, als zu mir ein Mann kam und mir sagte: ›Ich komme, Euch vors Gericht zu rufen, denn es ist jemand da, der eine Klage gegen Euch hat.‹ Ich sagte darauf: ›Wenn jemand von mir etwas zu fordern hat, so soll er zu mir kommen und mir meinen

Schuldschein vorzeigen. Dann werde ich ihn bezahlen; aber vors Gericht gehe ich nicht.‹ Doch der Man erwiderte: ›Wenn sich jemand mit Euch vor dem Gerichte auseinandersetzen will, so ist es doch besser, wenn Ihr mir folgt und hingeht.‹ Da der Mann mir große Ehrfurcht einflößte, ließ ich mein Essen stehen und ging zum Gericht. Vor der Gerichtsstube kam mir ein Diener entgegen und sagte mir: ›Es ist wahr, daß man Euch vors Gericht geladen hat. Doch der Gerichtshof hat jetzt keine Zeit. Geht nach Hause und kommt später wieder.‹ Ich ging also in mein Gasthaus zurück und ließ mir wieder mein Essen geben. Doch bevor ich es noch anrührte, kam der Mann wieder und rief mich wieder zum Gericht. Ich wurde zornig und sagte ihm, daß ich soeben dort gewesen sei und daß man mich nach Hause geschickt habe. Der Mann hatte aber auf mich solchen Einfluß, daß ich mein Essen wieder stehen ließ und zum Gericht ging. Dort kam mir wieder der Diener entgegen und sagte mir, daß der Gerichtshof noch immer keine Zeit habe und daß ich später wiederkommen solle. Ich wurde sehr böse; wie ich aber ins Gasthaus zurückkam und mir das Essen wieder auftragen ließ, kam der gleiche Mann zum drittenmal und rief mich wieder vors Gericht. Diesmal wollte ich schon um keinen Preis mitgehen; da mir aber der Mann versicherte, daß man mich nun bestimmt vorlassen würde, und da er mir großes Vertrauen einflößte, ging ich schließlich doch mit. Ich kam in einen sehr schönen Saal, und um einen Tisch herum saßen mehrere Greise von sehr ehrwürdigem Aussehen. Einer von ihnen sagte mir: ›Es ist hier jemand da, der eine Klage gegen dich vorbringen will.‹ Aus einer Seitentüre trat nun ein Mensch herein, der alle meine Sünden und Vergehen, die ich je begangen, und besonders diejenigen, die ich in den letzten Jahren begangen hatte, aufzuzählen begann. Viele von den Sünden hatte ich schon vergessen, doch der Mann erinnerte mich an jede einzelne von ihnen, so daß ich nichts zu leugnen vermochte. Als er fertig war, stand ich da und zitterte. Da sprach einer der Greise zu den andern: ›Was wollen wir über ihn beschließen?‹ Und ein anderer sagte: ›Soll er nur da bleiben und warten, bis wir einen Beschluß gefaßt haben.‹ Obwohl alles im Traume war, begriff ich doch ihre Absicht: daß mein Schlaf ein ewiger Schlaf sein solle. Ich begann zu weinen und sagte, daß ich ja noch nicht alt sei und daß ich alle meine Sünden noch abbüßen könne. Und einer von den Greisen trat für mich ein und sagte, daß man mich ins Leben zurückschicken solle; ich werde die Sünden noch abbüßen. Ich sah den Greis an und erkannte den heiligen Rabbi Pinchas von Korez. Er sagte noch, daß ich ihn immer mit reichen Gaben bedacht hätte und daß er darum für mich eintreten müsse. Die andern Greise waren zuerst nicht einverstanden, mußten aber schließlich doch dem heiligen Rabbi Pinchas nachgeben. Also verkündeten sie ihren Spruch: ›Bringt ihn zurück!‹ Und in diesem Augenblick fiel ich vom Bette und erwachte. Ich behielt aber das ganze schreckliche Gesicht in Erinnerung. Wie wäre es nun möglich, daß ich nicht Buße täte und mich bekehrte?«

Diese Geschichte zeigt, welche Gewalt der heilige Pinchas von Korez hatte, selbst vor dem himmlischen Gerichtshofe. Seine Verdienste mögen uns und allen Juden beistehen. Amen.

DIE BEKEHRUNG EINES ANGEBERS

In einer Stadt lebte einmal ein Angeber, von dem alle Leute sehr zu leiden hatten. Der Angeber war beim Gutsherrn, dem die Stadt gehörte, sehr beliebt. Er fürchtete sich aber, allein durch die Stadt zu gehen, weil er dort nur Feinde hatte. Darum gab ihm der Gutsherr zwei Kosaken, die ihn überall zu begleiten hatten.

Einmal erfuhr der Angeber von einer Sache, von der er wußte, daß, wenn er sie dem Gutsherrn anzeigte, dieser ihn reich belohnen würde. Er spannte seinen Wagen ein und fuhr zum Gutsherrn; die beiden Kosaken fuhren mit. Als sie eine Meile weit gefahren waren, wurde es schon dunkel; bis zum Gutshofe war aber noch eine halbe Meile Wegs. Darum kehrte der Angeber in ein Wirtshaus ein, um das Nachmittagsgebet zu sprechen. Als er aber im Achtzehn-Bitten-Gebet zu der Stelle kam »Vergib uns, unser Vater, denn wir haben gesündigt«, fiel ihm plötzlich sein Vorhaben ein: er fuhr doch zum Gutsherrn, um einige Juden anzuzeigen, die der Gutsherr grausam bestrafen würde. Während er das Gebet »Vergib uns, unser Vater, denn wir haben gesündigt« sprach, hatte er die Absicht, eine neue Sünde zu begehen! Und als er noch mehr darüber nachdachte, begriff er, daß er gar tief in die Sünde hineingeraten war. Und er weinte sehr und leistete das Gelübde, nie wieder einen Juden beim Gutsherrn anzugeben, selbst wenn ihn dieser dafür in Stücke schneiden würde. Und dann sprach er das Achtzehn-Bitten-Gebet zu Ende.

Als die beiden Kosaken den Mann so stehen und weinen sahen, glaubten sie, er sei betrunken. Sie fragten im Wirtshause nach, doch man sagte ihnen, daß er noch keinen Tropfen Branntwein getrunken habe. Sie sprachen ihn an, doch er antwortete nicht, sondern fuhr fort zu beten und zu weinen. Sie warteten, bis er mit dem Gebet zu Ende war, und fragten ihn: »Was hast du?« Und er antwortete: »Mein Kopf tut mir weh, und ich will nach Hause zurückfahren.« Doch die Kosaken sagten. »Das geht nicht. Du mußt mit uns zum Gutsherrn fahren und ihm alles sagen, was du ihm zu sagen hast.« Der Mann versuchte die Kosaken mit Geld zu bestechen, sie wollten aber nichts annehmen und brachten ihn zum Gutsherrn.

Wie er vor den Gutsherrn trat und dieser ihn fragte: »Nun, was gibt es Neues?«, antwortete er ihm: »Ich weiß nichts Neues; doch ich will bei dir Weizen kaufen.« Aber die Kosaken sagten dem Gutsherrn: »Als er mit uns von zu Hause wegfuhr, sagte er uns, daß er dir viel Neues zu erzählen habe. Später begann er in einem Wirtshause zu beten, zu weinen und zu jammern. Und dann sagte er uns, er wolle nach Hause zurückkehren.«

Als der Gutsherr dies alles hörte, geriet er in Zorn und begann den Juden zu schlagen, damit er ihm die Wahrheit sage. Doch der Jude nahm alle Schläge hin und sagte kein Wort. Nun versuchte der Gutsherr, ihn im Guten zu überreden, doch der Mann wollte nichts sagen. Der Gutsherr befahl, ihm fünfzig Stockschläge zu geben, er nahm aber auch die Stockschläge hin und sagte nichts. Der Gutsherr ließ ihn hinauswerfen, die beiden Kosaken mußten aber bleiben, damit der Jude ohne Begleitung heimfahre. Der Jude setzte sich auf seinen Wagen, fuhr heim und freute sich über alles, was er erlitten hatte.

Wie er durch einen Wald fuhr, hörte er plötzlich ein Jammern und Schreien um Hilfe. Er fuhr auf das Geschrei hin und erblickte eine nackte jüdische Frau. Sie stand da und schrie jämmerlich. Er fragte sie: »Was ist mit Euch?« Und sie antwortete: »Ich fuhr mit meinem Mann aus unserm Dorfe hierher, weil es bei uns im Dorfe kein Bad gibt. Ich habe mich ausgekleidet und bin in den Teich gegangen, um zu baden. Inzwischen ist das Pferd mit dem Schlitten, auf dem meine Kleider lagen, durchgegangen. Mein Mann lief weg, um das Pferd einzufangen. Als er lange nicht zurückkehrte, ging ich ihn suchen und verirrte mich dabei im Walde. Und nun bin ich halb erfroren.« Der Jude zog seinen Schafspelz aus, gab ihn der Frau, nahm sie zu sich auf den Wagen und brachte sie in ihr Dorf. Dann fuhr er, ihren Mann suchen, fand ihn und sagte ihm: »Euer Weib ist schon zu Hause.« Der Mann freute sich darüber und dankte ihm. Und dann fuhr ein jeder zu sich nach Hause.

Wie der bekehrte Angeber nach Hause gekommen war, erkrankte er plötzlich sehr schwer. Die Leute der Stadt wußten nichts von seiner Bekehrung und freuten sich sehr, als sie von seiner Erkrankung hörten, denn er hatte ihnen früher viel Böses getan. Sie meinten, er würde sterben, und sie wollten ihm nach seinem Tode Schimpf und Schande antun.

Der Mann starb auch wirklich am Abend desselben Tages. Doch der Rabbi der Stadt war ein heiliger Mann, und er wollte nicht leiden, daß man dem Angeber nach seinem Tode Schimpf antue. Darum ließ er in der Stadt ansagen, daß kein Mensch sich dergleichen erlauben dürfe. Die Leute mußten sich fügen, doch bei der Beerdigung ging die ganze Stadt mit, und alle dankten Gott, daß sie nun vom Angeber erlöst waren.

Am nächsten Morgen kam der Mann, dessen Frau der Angeber gerettet hatte, in die Stadt und befragte den Rabbi, ob er mit ihr noch weiter zusammenleben dürfe,

denn sie hätte eine ganze Nacht mit dem Angeber allein verbracht; dieser sei aber bei Lebzeiten ein großer Sünder gewesen; und er wisse nicht, ob der Angeber sich nicht an seiner Frau versündigt habe. Der Rabbi konnte ihm keinen Rat geben und betete zu Gott, daß er ihm die Antwort im Traume eingeben möchte. Und vom Himmel ward ihm der Bescheid, daß die Frau rein sei; da der Angeber Buße getan habe, hätte man ihm zur Belohnung die Gelegenheit verschafft, eine Menschenseele vom Tode zu retten; da man aber fürchtete, der Mann könnte wieder auf Abwege geraten, habe man seinen Tod beschleunigt. Nun sei er im Paradiese.

KABBALISTEN

In schlechten Zeiten sinkt sogar die beste Ware – die göttliche Wissenschaft – im Wert. Und so ist von der Laschtschower Jeschiwe schließlich niemand übriggeblieben als ihr Leiter Reb Jekel und ein einziger Schüler.

Der Leiter der Jeschiwe ist ein alter, hagerer Mann mit langem, zerzaustem Bart und erloschenen Augen. Lemech, sein einziger Schüler, ist ein langer, schmächtiger Jüngling mit blassem Gesicht, schwarzen Schläfenlocken, schwarzen, meistens gesenkten Augen, trockenen Lippen und einem spitz hervortretenden, zitternden Adamsapfel. Beide tragen geflickte Röcke, die vorn offenstehen und den nackten Leib – denn sie haben keine Hemden an – sehen lassen. Der Leiter der Jeschiwe schleppt mit großer Mühe ein Paar schwere Bauernstiefel; dem Schüler fallen seine viel zu großen Stadtschuhe von den bloßen Füßen; denn er hat keine Socken. Das ist alles, was von der einst so berühmten Jeschiwe übriggeblieben ist!

Der verarmten Einwohner des Städtchens hatten immer weniger und weniger Essen geschickt und immer seltener zu Mahlzeiten eingeladen. Darum waren die armen Schüler nach anderen Städten verzogen. Reb Jekel will aber hier sterben, und sein Schüler will ihm die Scherben auf die Augen legen.

Sie beide müssen viel hungern. Und wenn man wenig ißt, schläft man auch wenig. Und nach schlaflosen Nächten und vielen Hungertagen bekommt man Lust zur Kabbala!

Wenn man schon ganze Nächte durchwacht und tagelang hungert, so will man davon wenigstens einen Nutzen haben: durch Fasten und Kasteiungen kann man ja erreichen, daß sich alle Tore der Welt öffnen und alle Geheimnisse, Engel und Geister offenbar werden!

So beschäftigen sich die beiden seit längerer Zeit mit der Kabbala.

Sie sitzen an einem langen Tisch in der leeren Stube. Bei den anderen Juden ist es schon nach dem Mittagessen, doch bei den beiden noch vor dem Frühstück. Sie sind es aber gewohnt. Der Leiter der Jeschiwe hat seine Augen halb geschlossen und redet; der Schüler hält den Kopf in beide Hände gestützt und lauscht.

»Es gibt darin«, sagt der Alte, »vielerlei Stufen der Vervollkommnung: einer kennt ein Stückchen, ein anderer die Hälfte und ein Dritter die ganze Melodie. Der Rebbe, seligen Angedenkens, kannte zum Beispiel die ganze Melodie, sogar mit einem Nachspiel. – Und ich«, fügt er traurig hinzu, »bin nur der Gnade teilhaftig geworden, ein ganz kleines Stückchen zu kennen – kaum so groß ...«

Er mißt auf seinem dürren Finger ein winziges Endchen ab und fährt fort:

»Es gibt Melodien, die Worte haben müssen ... Das ist die niedrigste Stufe. Und es gibt eine höhere Stufe: die Melodie braucht keine Worte; sie wird ohne Worte gesungen, als reine Melodie ... Aber auch diese Melodie bedarf einer Stimme und braucht Lippen, durch die sie dringt! Und Lippen sind – du verstehst mich doch? – etwas Körperliches. Daher ist auch die Stimme, wenn auch eine edle Form des Körperlichen, doch etwas Körperliches! Nehmen wir an, daß die Stimme auf der Grenze zwischen Geistigem und Körperlichem steht!

Doch in jedem Falle ist die Melodie, die der Stimme bedarf und von den Lippen abhängt, noch nicht ganz rein, nicht ganz geistig!

Die richtige, höchste Melodie wird aber ganz ohne Stimme gesungen ... Sie tönt im Innern des Menschen, in seinem Herzen, in allen Gliedern. So sind die Worte des Königs David zu verstehen: ›Alle meine Gebeine lobpreisen Gott!‹ Im Mark der Knochen muß es tönen, und das ist das schönste Loblied auf den Herrn, geseg-

net sei sein Name! Denn eine solche Melodie ist nicht von einem Wesen aus Fleisch und Blut erfunden. Sie ist ein Teil jener Melodie, mit der Gott die Welt erschaffen hat, ein Teil der Seele, die er ihr eingegeben hat ... So singen die himmlischen Heerscharen! ...«

Der Vortrag wurde unterbrochen durch das Erscheinen eines zerlumpten Burschen mit einem Strick um die Lenden. Er trat in die Stube, stellte auf den Tisch vor den Leiter der Jeschiwe eine Schüssel Grütze, legte ein Stück Brot dazu und sagte mit roher Stimme:

»Reb Tewel schickt dem Leiter der Jeschiwe sein Essen!« Und an der Tür wandte er sich noch einmal um und fügte hinzu: »Ich komme später die Schüssel holen!«

Durch die Stimme des Burschen aus den himmlischen Harmonien gerissen, stand der Alte mühselig auf und schleppte sich in seinen schweren Stiefeln zum Wassergefäß bei der Tür, um sich die Hände zu waschen. Im Gehen sprach er weiter, doch mit weniger Inbrunst als vorhin, und der Schüler verfolgte ihn von seinem Platze aus mit leuchtenden Augen und lauschenden Ohren.

»Ich bin aber nicht einmal für würdig befunden«, sagt traurig Reb Jekel, »zu wissen, auf welcher Stufe dieses erreicht werden kann, bei welchem Tor des Himmels ... Weißt du«, gibt er lächelnd zu, »die nötigen Übungen und Gebetsformeln kenne ich wohl, und ich werde sie dir, vielleicht noch heute, mitteilen!«

Dem Schüler springen schier die Augen heraus, er sitzt mit offenem Munde da und fängt jedes Wort des Meisters gierig auf. Doch der Meister bricht ab ... Er wäscht sich die Hände, trocknet sie ab, spricht die Gebetsformel, geht zurück zum Tisch und spricht mit bebenden Lippen das Gebet über den Bissen Brot.

Er ergreift mit zitternden Händen die Schüssel, und der warme Dampf verdeckt sein ausgemergeltes Gesicht. Dann setzt er die Schüssel wieder auf den Tisch, nimmt mit der Rechten den Löffel und wärmt die Linke am Rand der Schüssel. Dabei zerkaut er mit seinem zahnlosen Munde langsam den Bissen Brot, über den er das Gebet gesprochen hat.

Als Gesicht und Hände warm geworden sind, legt er seine Stirn in Falten, spitzt die dünnen blauen Lippen und beginnt zu blasen. Der Schüler starrt ihn unverwandt an. Doch als die zitternden Lippen des Greises dem ersten Löffel Grütze entgegeneilen, packt ihn etwas am Herzen: er bedeckt sein Gesicht mit den Händen und schrumpft gleichsam ein.

Nach einer Weile kam ein anderer Bursche, ebenfalls mit einer Schüssel Grütze und einem Stück Brot, und sagte:

»Reb Jossel schickt dem Schüler sein Frühstück!«

Doch der Schüler zog die Hände vom Gesicht nicht fort. Der Alte legte seinen Löffel weg und trat an den Schüler heran. Einige Zeit betrachtete er ihn voller Stolz und Liebe, dann berührte er seine Schulter:

»Man hat dir Essen gebracht!« weckte er ihn mit freundlicher Stimme.

Der Schüler nahm seine Hände langsam und unwillig vom Gesicht. Das Gesicht war noch blasser geworden, und die Augen brannten noch unheimlicher.

»Ich weiß, Rebbe.« antwortete er. »Doch ich werde heute nicht essen.«

»Den vierten Tag fasten?« fragte der Alte erstaunt. »Und ohne mich?« fügte er etwas beleidigt hinzu.

»Es ist ein eigener Fasttag«, antwortete der Schüler. »Ich faste heute zur Buße ...«

»Was redest du? Wie kommst du zur Buße?«

»Gewiß, Rebbe! Ich muß büßen ..., weil ich vor einem Augenblick, als Ihr zu essen begannt, gegen das Gebot ›Laß dich nicht gelüsten‹ sündigte!«

In der folgenden Nacht weckte der Schüler den Lehrer. Die beiden schliefen einander gegenüber auf Bänken in der Lehrstube.

»Rebbe, Rebbe!« rief der Schüler mit schwacher Stimme.

»Was ist?« Der Alte erwachte und erschrak.

»Ich war soeben auf dem höchsten Gipfel ...«

»Wieso?« fragt der Alte, noch etwas verschlafen.

»Es hat in mir gesungen!«

»Wieso? Wieso?«

»Das weiß ich selbst nicht, Rebbe«, antwortete der Schüler kaum hörbar. »Ich konnte nicht einschlafen und vertiefte mich in Euren Vortrag ... Ich wollte um jeden Preis jene Melodie kennenlernen ... Und vor großem Kummer, daß ich es nicht konnte, fing ich zu weinen an ... Alles weinte in mir, alle meine Glieder weinten vor dem Schöpfer der Welt! Und dabei machte ich die Gebetübungen, die Ihr mich gelehrt habt, doch seltsam: nicht mit dem Munde, sondern tief im Innern! Und plötzlich wurde es so hell. Ich hielt die Augen geschlossen, und doch war es um mich hell, sehr hell, blendend hell ...«

»Recht so!« sagte der Alte, sich vorbeugend.

»Und von dieser Helligkeit wurde mir so gut, so leicht ... Es war mir, als ob ich keine Schwere mehr hätte, als ob mein Leib jedes Gewicht verloren hätte und fliegen könnte ...«

»Recht so!«

»Dann wurde es mir so lustig, so lebendig zumute ... Mein Gesicht blieb unbeweglich, meine Lippen rührten sich nicht, und doch lachte ich ... lachte so gut, so herzlich, so fröhlich ...«

»So, so! Ganz recht: in höchster Freude ...«

»Dann summte etwas in mir, wie der Anfang einer Melodie ...«

Der Alte sprang von seiner Bank auf und war mit einem Satz bei dem Schüler.

»Und weiter?«

»Und weiter fühlte ich, wie es in mir zu singen anfing ...«

»Was hast du dabei gefühlt? Was? Was? Sag! ...«

»Ich fühlte, daß alle meine Sinne wie geschlossen, wie verstopft sind und in mir inwendig etwas singt ... Ganz wie es sich gehört: ohne Worte und ohne Töne, so ...«

»Wie? Wie?«

»Nein, ich kann es nicht ... Früher konnte ich es noch ... Dann wurde aus dem Singen ...«

»Was wurde aus dem Singen? Was?«

»Eine Art Musik ... Als ob ich in mir eine Geige hätte, oder als ob in meinem Innersten der Spielmann Jojne säße und eines der Stücke spielte, die er beim Rabbi an der Tafel spielt! Es klang aber noch viel schöner, edler, trauriger! Und alles ohne Töne, ganz ohne Töne, rein geistig ...«

»Wohl dir! Wohl dir! Wohl dir!«

»Und nun ist alles weg!« sagt der Schüler sehr traurig. »Meine Sinne sind wieder erwacht, und ich bin so müde, so furchtbar müde, daß ich ...«

»Rebbe!« schreit er plötzlich auf, sich an die Brust greifend. »Rebbe, sprecht mir das Sterbegebet vor! Man ist mich holen gekommen! Sie brauchen dort oben einen neuen Chorjungen! Ein Engel mit weißen Flügeln ... Rebbe! Rebbe! Schma Jisrael! Schma ...«

Das ganze Städtchen wünschte sich einen solchen Tod. Doch dem Leiter der Jeschiwe war es zu wenig.

»Noch einige Fasttage«, seufzte er, »und er wäre noch ganz anders gestorben: durch einen Kuß von Gottes Mund!«

NEILA IN DER HÖLLE

An einem ganz gewöhnlichen Tage, es war weder Jahrmarkt noch Wochenmarkt, hörten die Marktleute plötzlich Pferdegetrabe und sahen in der Ferne den Straßenkot aufspritzen. Bald zeigte sich auch eine Kutsche mit einem Pferd. Wer kann da gefahren kommen? Doch als die Kutsche auf dem Marktplatze anlangte, wandten sich alle Leute voller Abscheu, Angst und Zorn weg: in der Kutsche saß der Zuträger aus der Nachbarstadt, der wohl direkt in die Hölle fuhr. Wer weiß, wen er diesmal bei den Behörden anschwärzen wird!

Plötzlich wird es still, die Leute schauen unwillkürlich hin: die Kutsche ist stehengeblieben, das Pferd hat den Kopf gesenkt und säuft aus einer Pfütze, und der Zuträger ist von seinem Sitz heruntergefallen und liegt unbeweglich da.

Es ist ja immerhin eine Menschenseele! Die Leute laufen hinzu: der Mann ist tot. Der Feldscher bestätigt: »Der ist erledigt!« Angestellte der Beerdigungsbrüderschaft nehmen sich der Leiche an. Pferd und Wagen werden verkauft, und mit dem Erlös werden die Beerdigungskosten bestritten.

Kaum ist er beerdigt, als die Teufel seine Seele pakken, sie nach der Hölle schleppen und dort dem Torbeamten übergeben. Der Zuträger wird für eine Weile beim Höllentor aufgehalten, und der Beamte, der die

Bücher und Eingänge und Ausgänge führt, nimmt gelangweilt und gähnend seine Personalien auf und trägt alles phlegmatisch in sein Buch ein.

Und der Zuträger, dessen ganzer Einfluß in der Hölle nichts mehr wert ist, gibt Antwort: Da und da geboren, da und da geheiratet, soundso lange sich vom Schwiegervater aushalten lassen, dann von Frau und Kindern entlaufen, in die und die Stadt verzogen und den Beruf eines Zuträgers ergriffen, von dem er so lange lebte, bis sein Maß voll wurde. Er starb plötzlich auf der Durchreise auf dem Marktplatz der Stadt Lahadam.

Da wird der Höllenbeamte, der die Bücher führt, plötzlich interessiert. Er hält mitten im Gähnen an und fragt:

»Wie heißt die Stadt? La-ha--«

»Lahadam!« wiederholt der Zuträger.

Der Matrikelführer wird plötzlich rot, und seine Augen drücken höchstes Erstaunen aus.

»Habt ihr mal von einer solchen Stadt gehört?« wendet er sich an seine Gehilfen.

Die Gehilfen zucken die Achseln, schütteln die Köpfe und stecken die Zungen heraus:

»Nein, noch nie!«

»Gibt's überhaupt eine solche Stadt?«

Jede Gemeinde hat in der Hölle ihr eigenes Buch. Die Bücher sind alphabetisch geordnet, und jeder Buchstabe hat einen eigenen Schrank. Man nimmt also alle Bücher mit L durch: Lublin, Lemberg, Leipzig; alle Städte sind da, doch keine Stadt Lahadam!

»Und doch gibt es eine solche Stadt!« sagt der Zuträger. »Eine Stadt in Polen.«

»Ist sie vielleicht ganz neu gegründet?«

»Nein, sie steht schon an die zwanzig Jahre da. Der Gutsbesitzer hat sie erbaut und zwei Jahrmärkte festgesetzt. Es gibt da eine Schule, ein Bethaus, ein Bad ..., zwei heimliche Branntweinschenken ...«

»Ist hier schon einmal wer aus Lahadam gewesen?« fragt der Matrikelführer noch einmal seine Gehilfen.

»Nein, niemand!« antworten sie.

»Sterben denn dort die Leute gar nicht?« fragt man den Zuträger.

»Warum sollen sie nicht sterben?« antwortet dieser nach Judenart mit einer Frage. »Die Leute wohnen in kleinen, dumpfen Zimmern, das Bad ist so gebaut, daß man darin nicht atmen kann, das ganze Städtchen steht auf einem Sumpf!« Der Zuträger fällt allmählich in seinen gewohnten Ton.

»Auch einen Friedhof gibt es dort. Die Beerdigungsbrüderschaft schindet furchtbar hohe Gebühren. Erst vor kurzem gab es da eine Seuche ...«

Man schickt den Zuträger in die entsprechende Abteilung der Hölle und fragt wegen des Städtchens Lahadam an höherer Stelle an; da muß etwas nicht in Ordnung sein: die Stadt steht seit zwanzig Jahren da; es hat dort sogar schon eine Seuche gegeben, und doch — kein einziger Toter von dort!

Die höhere Stelle schickt Boten hinauf, um der Sache nachzugehen: es stimmt! Und es verhält sich so: Es ist ein Städtchen wie jedes andere, mit wenig gottgefälligen Werken und sehr viel Sünden. Der böse Trieb arbeitet dort sogar recht energisch. Also, wo ist der Haken? Nun, sie haben in ihrer Gemeinde einen ganz ungewöhnlichen Vorbeter! Das heißt, der Vorbeter ist als Mensch durchaus gewöhnlich und unbedeutend, doch er hat eine Stimme, eine so süße, so himmlische Stimme, daß, wenn er singt, selbst die verstocktesten eisernen Herzen weich wie Wachs werden. Kaum steht er am Vorbeterpult, da bereut die ganze Gemeinde ihre Sünden und tut so aufrichtig Buße, daß oben alle Sünden vergeben und aus den Registern gestrichen werden. Und die Tore des Paradieses stehen allen Einwohnern von Lahadam weit offen. Wenn einer kommt und sagt:

»Ich bin aus Lahadam«, so wird er gar nicht mehr weiter gefragt.

Die ganze Geschichte paßt der Hölle selbstverständlich gar nicht, und Satan selbst nimmt die Sache in die Hand. Er wird mit dem Vorbeter schon fertig werden! Was tut er? Er schickt auf die Erde hinauf und läßt sich einen lebenden Calikut-Hahn mit rotem Kamm holen. Man bringt ihm bald den Hahn und stellt diesen vor ihn auf den Tisch. Der Hahn ist so erschrocken, daß er sich gar nicht rührt, und der Satan — verflucht sei sein Name! — setzt sich vor ihn hin, fängt ihn zu krauen an und starrt so lange und unverwandt auf seinen roten Kamm, bis dieser weiß wie Kalk wird. Wie der Satan fühlt, daß der Allmächtige oben in höchsten Zorn geraten ist, ruft er aus:

»Soll er seine süße Stimme verlieren bis zu seiner Sterbestunde!«

Wen er bei dieser Beschwörung meinte, wißt ihr selbst; und ehe noch der Kamm des Calikut-Hahns wieder rot geworden war, hatte schon der Vorbeter von Lahadam seine Stimme verloren. Seine Kehle ist wie geschlagen; er kann kaum noch sprechen. Wer die Schuld am Unglück hat, weiß man schon; das heißt, einige Wunderrabbis wissen es. Wer aber hat den Mut, dem Vorbeter das zu sagen? Es ist doch sowieso nichts mehr zu machen! Wenn der Vorbeter als Mensch noch irgendwie hervorragend wäre, so könnte man vielleicht durch Fürbitte im Himmel etwas erreichen. Aber er ist eben nur ein durchaus unbedeutender Mensch, eine Null …

Der Vorbeter reist von einem Wunderrabbi zum andern, doch keiner kann ihm etwas sagen. Nun kommt er zum Rebben von Opatow und gibt ihm keine Ruhe: Er wird nicht fortgehen, bis er die Wahrheit erfahren hat. Es ist ein Jammer mit dem Menschen! Und der Rebbe versucht ihn zu trösten:

»Wisse, daß deine Heiserkeit nur bis zu deiner Sterbestunde anhalten wird. Dein Sterbegebet wirst du aber schon mit einer so klaren Stimme sprechen können, daß man es in allen Himmeln hören wird!«

»Und bis dahin?«

»Bis dahin ist die Sache hoffnungslos!«

Der Vorbeter bestürmt noch einmal den Rebben:

»Wie ist das geschehen? Warum ist mir das geschehen?«

Und er drängt den Rebben so lange, bis dieser ihm alles erzählt.

»Wenn das so ist«, schreit der Vorbeter mit heiserer Stimme auf, »so werde ich mich schon rächen!«

Und mit diesen Worten läuft er hinaus.

»Wie willst du dich rächen? Und an wem?« ruft ihm der Rebbe nach. Doch der Mann ist schon fort.

Das geschah an einem Dienstag; andere sagen – an einem Mittwoch. Und als am Donnerstagabend die Fischer von Opatow Fische zum Sabbat fangen wollten und ihr Netz herauszogen, da war das Netz auffallend schwer; und wie man es herauszog, lag darin der Vorbeter von Lahadam.

Er hatte sich von der Brücke ins Wasser gestürzt. Und wie er das Sterbegebet sprechen sollte, hatte er seine schöne Stimme, wie es ihm der Rebbe ganz richtig vorausgesagt hatte, wiederbekommen; denn der Satan hatte ausdrücklich bestimmt: »Bis zur Sterbestunde!« Doch als er ins Wasser sprang und sich ertränkte, hat er das Sterbegebet gar nicht gesprochen, sondern seine Stimme für später aufgehoben. Und das war seine Rache, wie ihr gleich sehen werdet.

Wie es einem Selbstmörder geziemt, wird der Vorbeter sofort von den Teufeln gepackt und in die Hölle geschleppt. Beim Tore wird er wie üblich ausgefragt, aber er gibt keine Antwort. Man versucht, ihn mit einer glühenden Gabel zum Sprechen zu bringen, doch er schweigt.

»Nehmt ihn so!«

Man weiß doch auch so, wer er ist: man hatte ihn ja erwartet! Und man nimmt ihn so und führt ihn zu einem Kessel, der für ihn gerade heiß gemacht wird: sobald das Pech zu sieden anfängt, wird man ihn hineinwerfen. Doch der Vorbeter setzt sich plötzlich den Daumen an die Gurgel und beginnt den Kaddisch aus der Neila …

Er singt, und seine Stimme klingt immer mächtiger und noch süßer, noch herzergreifender als je. … Und in den Kesseln, aus denen bisher ein Winseln und Jammern drang, wird es plötzlich still. Dann fallen Stimmen ins Gebet ein, verbrühte Köpfe heben die Deckel von den Kesseln, und versengte Lippen singen mit …

Die Teufel, die bei den Kesseln stehen, beten nicht mit: sie sind vor Schreck gelähmt. Sie stehen – der eine mit einer Tracht Brennholz zum Nachlegen, der andere mit einem Schürhaken, der dritte mit einer eisernen Gabel in der Hand – mit aufgerissenen Mäulern, herausgesteckten Zungen, runden Augen und verzerrten Gesichtern und rühren sich nicht; andere sind vor Schreck umgefallen ... Während der Vorbeter in der Neila fortfährt, geht das Feuer unter den Kesseln allmählich aus, und die Toten kommen einer nach dem andern heraus.

Er singt, und die ganze Gemeinde betet voller Inbrunst mit: und während sie beten, verheilen die Brandwunden und überziehen sich mit neuer Haut, verbrannte Glieder wachsen nach, und alle Leiber sind wie geläutert ...

Und wie der Vorbeter zur Stelle kommt »Gesegnet seiest du, Herr, der du die Toten lebendig machst!«, werden alle Toten wirklich lebendig, nehmen die Gestalt an, die sie vorher hatten, und rufen wie ein Mensch »Amen!« Und bei der Stelle »Sein großer Name werde gepriesen in alle Ewigkeit! ...« klingt es so laut, daß alle Himmel sich auftun und das Bußgebet der Sünder bis in den siebenten Himmel hinaufsteigt bis zum Thron der Göttlichen Majestät. Und es ist gerade eine Stunde der Gnade, und alle Sünder, die nicht mehr Sünder sind, bekommen plötzlich Flügel und fliegen empor und finden die Tore des Paradieses weit geöffnet.

In der Hölle zurückgeblieben sind nur die vor Schreck erstarrten Teufel und der Vorbeter selbst. Wie bei Lebzeiten hatte er mit seiner Stimme alle Herzen erweicht und zur Buße bekehrt, doch selbst nicht gehörig Buße getan. Zudem war er ja auch ein Selbstmörder!

Mit der Zeit hat sich die Hölle wieder gefüllt ... Ich hörte sogar, daß man dort jetzt einen Erweiterungsbau plant ...

DES REBBEN PFEIFENROHR

Alle, und nicht nur die Alten, können sich noch erinnern, wie es Sore-Riwke nicht nur an Kindern, sondern auch an Brot fehlte. Ganz einfach – an Brot!

Ihr Mann, Chajim-Boruch, war von jeher ein großer Chassid gewesen; schon von jenem Tage an, wo ihn sein Schwiegervater (er ruhe in Frieden – ein frommer Jude war er gewesen!) aus der Lubliner Gegend hergebracht hatte.

Man merkte bald, daß er ein Gefäß Gottes war, ein Segen für seinen lieben Namen! Daß er ein Mensch war, der, wenn auch nicht gerade des Messias Ankunft beschleunigen, so doch zumindest Wein aus der Wand zapfen konnte.

Er hatte schon so ein Aussehen gehabt!

In seinen tiefliegenden, stets gesenkten Augen zitterte immer ein Flammenschein, gleich als ob jemand in einer finstern Stube mit einem Licht hin und her ginge.

Ein blasses Gesicht hatte er; doch beim geringsten Anlaß blühte es auf wie eine Rose: so eine dünne Haut hatte er!

An seinen Schläfen pochte und zitterte es immer.

Einen gewöhnlichen Jusefower Gürtel konnte er sich an die zehn Mal um den Leib wickeln; vielleicht noch mehr!

Es versteht sich von selbst, daß von gewöhnlichem

Lernen bei ihm nicht die Rede war: so ein Geschöpf geht in die Tiefe: »Sohar« lernte er und »Ejz Chajim« — alles, was ihr wollt.

Mit dem Rebben, leben soll er, saß er stundenlang zusammen. Sie sprachen zueinander nicht mit Worten, sondern mit bloßen Winken und Blicken. Geh einer und rede mit einem solchen wegen Nahrungssorgen!

Warum nannte ihn aber das ganze Lehrhaus: »Chajim-Boruch Sore-Riwkes« oder abgekürzt: »Sore-Riwkes Mann«? Warum hängte man ihn mit allen seinen »Toren der Weisheit« an den Topf Erbsen und das bißchen Hefe an, womit Sore-Riwke handelte? Das ist eben nicht zu verstehen!

Sore-Riwke selbst hatte großen Kummer davon.

Es war ja wirklich eine Ehre, daß man ihn nach ihr nannte — das fühlte sie. Sie wußte aber auch, daß dies bißchen Freude auf dieser Welt auch das einzige war, was sie zu erwarten hatte.

Sie pflegte recht oft, einigemal in der Woche, mit ihrem Erbsentopf ins Lehrhaus zu kommen.

»Chajim-Boruch!« schreien die Jeschiwa-Schüler: »Deine Speiserin kommt!«

Chajim-Boruch hat wohl schon ihre Schritte auf der Treppe gehört; er hat sein Gesicht längst in den »Sohar« vergraben; über dem Pulte zittert nur die fettige Spitze seines Käppchens, an dem immer Federn haften. Doch Sore-Riwke wagt es nicht einmal, auf diesen Zipfel zu schauen; sie schaut überhaupt nicht nach seiner Seite, sie will nicht mit ihren Augen den göttlichen Geist entweihen, der über ihm ruht, wenn er lernt. Sie will ihre Augen nicht schon auf dieser Welt mästen: Alles, denkt sie sich, will ich lieber dort haben! Dort, auf jener Welt! Und es wird ihr bei diesem Gedanken ganz warm ums Herz.

Wenn sie das Lehrhaus verläßt, hält sie sich aufrechter, sie ist gleichsam gewachsen und ihr Blick ist heller und freier. Man kann kaum glauben, daß sie schon eine Frau in den Zwanzigern ist: die Stirne ist glatt, ohne eine einzige Runzel, das Gesicht anmutig und rosig, gleich als ob sie erst unter dem Trauhimmel hervorkäme!

Und gerade wenn sie daran denkt, wird ihr so traurig zumute.

Es wird ihr, so trauert sie, nichts mehr für jene Welt übrigbleiben. Sie wird dort ankommen wie eine gerupfte Gans, ganz ohne Verdienste am Leibe ... Was tut sie eigentlich? Sie schleppt sich mit ihrem Erbsentopf durch die Straßen und trägt jeden Donnerstag ein wenig Hefe an einige Hausfrauen aus. Was hat er von ihr?

Solange noch ihr Vater, er ruhe in Frieden, lebte und seine Geschäfte gut gingen, hatte man ein Obdach und was zu essen und zu trinken – sogar im Überfluß. Und heute? Auf alle Feinde Zions gesagt!

Die Mitgift ist irgendwie verloren gegangen, das Häuschen ist verkauft!

Am Morgen gibt es Fischgrütze und Kartoffeln mit Wasser.

Abends – ein Süppchen mit einer altbackenen Semmel.

So sieht sein Leben auf dieser Welt aus!

Seit sieben Jahren hat sie ihm nicht einmal einen Kaftan gemacht!

Von Pessach zu Pessach bekommt er von ihr einen Hut, ein Paar Stiefel und sonst nichts.

Zum Sabbat gibt sie ihm ein sauberes Hemd. Auch ein Hemd! Spinngewebe ist es und kein Hemd!

Wegen dieser Hemden muß sie schon eine Brille tragen: sie bestehen ja nur aus Flicken ...

»Herr der Welt«, denkt sie sich, »wenn man auf jener Welt einen einzigen Buchstaben von seiner Tora nimmt und auf eine Waagschale legt und auf die andere Waagschale alle meine Suppen und Fischgrützen und meine Augen noch dazu ..., welche Waagschale wird sinken?«

Sie weiß zwar, was auf dieser Welt verknüpft ist, das bleibt auch auf jener Welt verbunden. Daß man Mann und Weib nicht so schnell voneinander trennt. Und würde er es denn auch zulassen? So ein Edelstein, wie er ist! Sieht sie denn nicht, wie er darauf besteht, daß auch sie etwas vom Essen koste? Es ist lächerlich: er wird es ihr doch nicht mit Worten sagen; aber er sagt es mit den Augen! Und wenn sie so tut, als verstünde sie ihn nicht, so brummt er wie während des Achtzehn-Bitten-Gebetes. Nein, er wird es nicht zulassen, daß man sie von ihm nimmt! Er wird es nicht haben wollen, daß, während er selbst auf dem Großvaterstuhl zwischen den Gerechten und Erzvätern sitzt, sie sich irgendwo in der Unterwelt, in wüsten Wäldern herumtreibt ...

Was hilft es ihr aber? Erstens müßte sie sich einfach schämen, den Stammüttern in die Augen zu sehen. Die Scham würde sie versengen! Zweitens – hat sie ja keine Kinder, und »Jahre ziehen, Jahre fliehen« ...

Sieben Jahre leben sie schon zusammen; noch drei unglückselige Jahre und dann ist die Scheidung gewiß!

Wird sie denn etwas dagegen einwenden können?

Eine andere wird sein Fußschemel im Paradies sein und sie wird mit Gott weiß wem, mit irgend einem Schneider in der Hölle schmachten ...

Und verdient sie denn auch etwas Besseres?

Sie träumte schon mehr als einmal von einem Schneider oder einem Schuster und fuhr dann mit einem lauten Schrei aus dem Schlafe.

Ihr Mann wachte erschrocken auf.

Nachts, wenn es finster ist, redet er ja manchmal mit ihr. Er fragt sie: »Was ist?«

Und sie antwortet: »Gar nichts!«

Sie weint und betet zu Gott, daß er seinen Segen in ihre Erbsen und ihre Hefe kommen lasse.

Und Chajim-Boruch war doch wirklich ein Edelstein!

»Die närrische Frau!« – denkt er sich: »Was für Sorgen sie hat! Und doch muß ich etwas dagegen tun! Vielleicht wird sie dann eher etwas in den Mund nehmen, sich etwas gönnen!«

Er suchte lange in den Büchern. Doch oft kommt es so, daß man das, was man gerade sucht, nicht finden kann. Solche Dinge kommen meistens von selbst und unerwartet!

Manchmal kam es ihm vor, daß er auf dem richtigen Wege sei, doch jedesmal verwirrte ihn der Satan, so daß er von neuem zu suchen anfangen mußte.

Und er beschloß, darüber mit Ihm, leben soll er, zu sprechen.

Das ging aber sehr schwer.

Einmal hörte der Rebbe gar nicht zu: so sehr war er in seine Gedanken vertieft; das zweite Mal schüttelte er den Kopf, nicht hin und nicht her. Und das dritte Mal sagte er ihm:

»Hm! Es wäre wirklich ganz gut!« Da kam aber jemand zum Rebben, und das Gespräch wurde abgebrochen.

Ein anderes Mal fuhr er extra deswegen zum Rebben und fragte ihn: »Nu?«

»Nu! Nu!« antwortete der Rebbe. Und das war alles.

Einmal, an einem Freitag, sitzt Chajim-Boruch beim Rebben und seufzt.

»Das ist keine Manier!« schilt ihn der Rebbe. »Meine Chassidim seufzen nicht! Warum sollen sie auch seufzen?«

»Die Hefe!« erwidert Chajim-Boruch.

»In allen Wohnungen Israels sind schon die Sabbatbrote gebacken«, sagt der Rebbe. »Am Freitag nach zwölf spricht man nicht mehr von Hefe!«

Am Sabbatabend drückt sich Chajim-Boruch schon deutlicher aus:

»Rebbe«, sagt er, »vielleicht würdet Ihr Euch der Sache doch etwas annehmen?«

»Und du?« erwidert der Rebbe, »bist du etwa krank? Ist der Himmel für dein Gebet, Gott behüte, verschlossen?«

Als Chajim-Boruch das »Gott behüte« hörte, fiel ihm ein Stein vom Herzen. Und doch vergingen noch ein paar Monate — und nichts änderte sich.

Zu Rosch Haschana kam er wieder.

Am Feiertagsausgang klopfte ihn der Rebbe plötzlich vor der ganzen Gemeinde auf die Schulter und fragte:

»Chajim-Boruch, was fehlt dir?«

Er wurde verlegen und antwortete: »Gar nichts!«

»Es ist nicht wahr!« sagte der Rebbe. »Dir fehlt etwas!«

»Was?« fragte Chajim-Boruch zitternd. Auf der Zunge lagen ihm schon die Worte: »Der Segen in den Erbsen und in der Hefe ...«

Der Rebbe ließ ihn aber nicht zu Worte kommen und zählte ihm folgende Worte wie Perlen ab.

»Dir — Chajim-Boruch — fehlt — eine — lange Pfeife!«

Die Leute wurden starr.

»Du rauchst«, sagte der Rebbe, »wie ein Fuhrmann aus einer kurzen Pfeife.«

Chajim-Boruch fiel die Pfeife aus dem Munde und er stotterte: »Ich will es Sore-Riwke sagen ...«

»Sag es ihr nur, sag!« sprach der Rebbe. »Soll sie dir eine lange Pfeife kaufen ... Nimm meine Feiertagspfeife als Maß mit: genau so lang soll die deinige sein!«

Und er gab ihm sein Pfeifenrohr. Das war alles.

Noch bevor Chajim-Boruch nach Hause gekommen war, wußte man schon im Städtchen, daß er des Rebben Feiertagspfeife mit sich führte ...

»Warum? Wozu?« fragte man sich in allen Gassen und in allen Häusern.

»Wozu?« zappelten alle jüdischen Seelen. »Wozu?« Und sie gaben sich selbst Antwort auf diese Frage: »Wahrscheinlich, damit er Kinder bekomme!«

Chajim-Boruch leidet doch nur an dem, woran alle gelehrten Leute leiden; wahrscheinlich wird der Rauch aus des Rebben Feiertagspfeife dagegen helfen. Und dann noch etwas: Sore-Riwke leidet doch an den Augen! Mit ihren zweiundzwanzig Jahren trägt sie schon eine Brille. Der Rebbe hat sicherlich an sie gedacht. Es ist doch keine Kleinigkeit: Chajim-Boruchs Weib!

Und überhaupt: Wozu hilft so ein Pfeifenrohr nicht? Und dazu noch von einer Feiertagspfeife?!!

Noch bevor Chajim-Boruch vom Wagen gestiegen war, baten ihn schon Hunderte von Menschen, er möchte ihnen das Pfeifenrohr leihen: für einen Monat, eine Woche, einen Tag, eine Stunde, eine Minute, einen Augenblick …

Man versprach ihm dafür goldene Berge!

Doch er antwortete allen:

»Was weiß ich? Fragt Sore-Riwke …«

Es war eine Weissagung, was über seine Lippen kam.

Sore-Riwke macht ein gutes Geschäft …

Achtzehn große Zehner für einen Zug aus der Pfeife. Achtzehn Zehner und keinen Heller weniger!

Und die Pfeife hilft!

Die Leute zahlen. Und Sore-Riwke hat schon ein eigenes Häuschen, einen schönen Laden, viele Hefe und noch manche andere Ware im Laden.

Sie selbst ist voller geworden, gesünder und rundlicher. Sie hat dem Mann neue Wäsche nähen lassen und die Brille abgelegt …

Vor einigen Wochen kam man sogar vom Gutsherrn das Pfeifenrohr zu leihen. Drei silberne Rubel legte man ihr dafür hin. Wie denn auch anders?

Ob sie Kinder hat, wollt ihr wissen?

Gewiß! Drei oder vier ... Auch er ist ein ganzer Mensch geworden ...

Im Lehrhaus gibt es einen ewigen Streit.

Die einen sagen, daß Sore-Riwke dem Rebben das Pfeifenrohr niemals zurückgeben will und wird.

Und andere sagen, sie hätte es ihm schon längst zurückgegeben; ihr jetziges Pfeifenrohr sei gar nicht mehr des Rebben Pfeifenrohr.

Doch Chajim-Boruch selbst schweigt.

Was macht's? Wenn es nur hilft!

WENN NICHT NOCH HÖHER

Und der Rebbe von Nemirow pflegte alljährlich um die Slicheszeit jeden Morgen zu verschwinden.

Er war nirgends zu finden: weder in der Schul, noch in den beiden Lehrhäusern, noch in einem der Betzirkel; und bei sich zu Hause schon ganz gewiß nicht. Seine Wohnung stand offen; jeder, der nur wollte, konnte hineingehen; gestohlen wurde beim Rebben niemals. Doch in der Wohnung war keine Menschenseele.

Wo kann der Rebbe sein?

Wo soll er sein? Selbstverständlich im Himmel! Hat denn so ein Rebbe vor den Schrecklichen Tagen wenig auszurichten? Juden brauchen, unberufen, Lebensunterhalt, Frieden, Gesundheit, gute Partien für die Kinder; sie wollen gut und fromm sein, doch die Sünden sind groß, und der Satan durchschaut mit seinen tausend Augen die Welt von einem Ende bis zum anderen und sieht alles und zeigt jede Kleinigkeit an … Und wer soll helfen, wenn nicht der Rebbe?

So dachte die ganze Gemeinde.

Einmal kommt aber in die Stadt ein Litwak. Er lacht! Ihr wißt doch, was ein Litwak ist: von Andachtsbüchern hält er gar nichts, dafür stopft er sich den Kopf mit Talmudabschnitten und Bibelstellen voll. Und dieser Litwak weist aus dem Talmud nach – er sticht einem damit förmlich die Augen aus –, daß selbst Moses bei

Lebzeiten kein einziges Mal in den Himmel kam, sondern stets zehn Handbreiten unter dem Himmel zurückblieb! Geh einer und streite mit einem Litwak!

»Wo kommt also der Rebbe hin?«

»Meine Sorge!« antwortet er und zuckt die Achsel; und wie er das sagt, faßt er schon den Entschluß – was ein Litwak nicht alles kann! –, der Sache auf den Grund zu gehen.

Noch am selben Abend, bald nach dem Abendgebet, stiehlt sich der Litwak ins Zimmer des Rebben hinein, kriecht unter des Rebben Bett und liegt dort. Er will die Nacht durchwachen und sehen, was der Rebbe vor Morgengrauen, wenn die Leute zu den Sliches gehen, anfängt.

Jemand anderer an seiner Stelle würde einschlummern und die Zeit verschlafen; doch ein Litwak weiß immer Rat: um sich wach zu halten, nimmt er im Kopf einen ganzen Talmudabschnitt durch; ich weiß nicht mehr, ob es der Abschnitt »Von den Schlachtungen« oder der »Von den Gelübden« war.

Vor dem Morgengrauen hört er, wie man an die Läden klopft, um die Leute zum Gebet zu rufen.

Der Rebbe war schon lange wach. Der Litwak hörte ihn schon seit einer Stunde seufzen.

Jeder, der den Nemirower Rebben nur einmal hat seufzen hören, weiß, welche Trauer um das ganze Volk Israel, welche Seelenqual in jedem seiner Seufzer steckt ... Es wird einem ganz bange ums Herz, wenn man ihn seufzen hört! Ein Litwak aber hat doch ein Herz aus Eisen: er hört zu und bleibt ruhig liegen! So liegen sie beide: der Rebbe – leben soll er! – auf dem Bett, der Litwak unter dem Bett.

Etwas später hört der Litwak, wie im ganzen Hause die Betten zu knarren beginnen, wie die Hausleute aufstehen, wie hie und da ein jüdisches Wort fällt; wie das

Wasser in die Waschbecken fließt und wie die Türen auf- und zugemacht werden ... Dann verlassen alle das Haus; es wird wieder still; im Zimmer ist es finster; nur ein schwacher Mondstrahl dringt durch einen Spalt im Laden ...

Später gestand der Litwak, als er allein mit dem Rebben geblieben war, habe ihn ein Grauen befallen. Es überlief ihn heiß und kalt vor Angst, und die Wurzeln seiner Schläfenlocken stachen ihn wie Nadeln.

Es ist doch wirklich keine Kleinigkeit: mit dem Rebben allein, beim Morgengrauen in der Slicheszeit! ...

Ein Litwak ist aber starrköpfig: er zittert wie ein Fisch im Wasser und – bleibt liegen!

Endlich steht der Rebbe auf ...

Zunächst wäscht er sich und verrichtet alles, was ein Jude am Morgen verrichten muß. Dann geht er zum Schrank und holt ein Bündel hervor: im Bündel sind Bauernkleider: ein Paar Leinenhosen, Schaftstiefel, ein Bauernrock, eine große Pelzmütze und ein breiter, mit Messingnägeln verzierter Ledergurt.

Und der Rebbe zieht alle die Kleider an.

Aus der Rocktasche hängt das Ende eines dicken Bauernstrickes heraus.

Der Rebbe geht aus dem Zimmer, der Litwak geht ihm nach.

Der Rebbe geht in die Küche, bückt sich, holt unter dem Bett eine Axt hervor, steckt sie sich hinter den Gurt und verläßt das Haus.

Der Litwak zittert, bleibt aber nicht zurück.

Ein stilles Grauen, das Grauen der Slicheszeit liegt über den dunklen Gassen. Hie und da dringt der Aufschrei eines Betenden aus einem der Betzirkel oder das Stöhnen eines Kranken aus einem Fenster ... Der Rebbe schleicht an den Mauern entlang, immer im Schatten der Häuser ... So schwimmt er von einem Schatten zum andern, und der Litwak schwimmt ihm nach ...

Und der Litwak hört, wie das laute Pochen seines eigenen Herzens sich mit den schweren Tritten des Rebben vermischt. Er bleibt aber trotzdem nicht zurück und gelangt zusammen mit dem Rebben vor die Stadt.

Vor der Stadt gibt es ein Wäldchen.

Der Rebbe – leben soll er! – geht ins Wäldchen. Nach dreißig, vierzig Schritten bleibt er vor einem jungen Baum stehen. Der Litwak sieht mit Bestürzung, wie der Rebbe die Axt aus dem Gürtel zieht und auf den Baumstamm einschlägt.

Er sieht, wie der Rebbe immer wieder ausholt; er hört, wie der Baum ächzt und knackt. Der Baum fällt, und der Rebbe spaltet den Stamm in Klötze, dann die Klötze in Späne. Dann macht er aus den Spänen eine Tracht Holz, umbindet sie mit dem Strick, den er in der Tasche hatte, lädt sie sich auf den Rücken, steckt die Axt wieder in den Gürtel und geht zur Stadt zurück.

In der hintersten Gasse bleibt er vor einem kleinen, halb eingefallenen Häuschen stehen und klopft ans Fenster.

»Wer klopft da?« fragt eine erschrockene Stimme aus dem Häuschen. Der Litwak erkennt, daß es die Stimme einer Jüdin, einer kranken Jüdin ist.

»Ich bin es!« antwortet der Rebbe auf kleinrussisch.

»Wer bist du?« fragt wieder die Frauenstimme.

»Wassil!« antwortet der Rebbe.

»Was für ein Wassil, Und was willst du, Wassil?«

»Ich habe Holz zu verkaufen!« sagt der angebliche Wassil. »Sehr billig, so gut wie umsonst!«

Und ohne die Antwort abzuwarten, tritt der Rebbe ins Haus.

Der Litwak schleicht ihm nach und sieht im fahlen Mor-

genlicht eine ärmliche Stube, zerbrochenes Hausgerät ... Im Bett liegt eine kranke Jüdin, in Lumpen gehüllt, und sie spricht mit erbitterter Stimme.

»Kaufen? Womit soll ich's kaufen? Wo soll ich arme Witwe Geld hernehmen?«

»Ich will es dir borgen!« antwortet der falsche Wassil. »Es sind im ganzen sechs Groschen!«

»Wie soll ich sie dir bezahlen?« stöhnt die arme Jüdin.

»Törichte Frau!« spricht der Rebbe vorwurfsvoll. »Sieh: du bist arm und krank, und ich gebe dir vertrauensvoll das bißchen Holz: ich vertraue dir, daß du es mir bezahlen wirst. Und du hast einen so großen, so starken Gott und vertraust ihm nicht ... Du traust ihm nicht einmal für die dummen sechs Groschen für eine Tracht Holz!«

»Und wer wird einheizen?« stöhnt die Witwe. »Habe ich denn die Kraft aufzustehen? Mein Sohn ist schon fort zur Arbeit.«

»Ich will auch einheizen«, sagt der Rebbe.

Und während er das Holz in den Ofen legte, sprach der Rebbe stöhnend den ersten Abschnitt der Sliches ...

Und als er Feuer gemacht hatte und das Holz lustig zu flackern begann, sprach er, schon etwas kräftiger, den zweiten Abschnitt ...

Und den dritten Abschnitt sprach er, als das Holz richtig brannte und er die Ofentür schloß ...

Der Litwak, der das alles gesehen hatte, wurde von nun an Nemirower Chassid.

Und sooft später jemand erzählte, daß der Nemirower Rebbe alljährlich zur Slicheszeit jeden Morgen die Erde verlasse und in den Himmel fliege, lachte der Litwak nicht mehr, sondern fügte still hinzu:

»Wenn nicht noch höher!«

CHASSIDISCHE FREUDE

Die ganze Welt weiß, daß der Adamur von Nemirow dem Schöpfer der Welt in höchster Freude diente.

Wohl ist dem Auge, das der Gnade teilhaftig war, die Lust, das Feuer, die Glut und die Freude zu sehen, die er, sein Andenken zum Segen, wie eine Sonne ausstrahlte und mit der er, wie mit einem goldenen, feurigen Licht die ganze Welt übergoß! Welch ein Genuß war das zu sehen!

Man vergaß unser Exil, alle unsere Leiden und Marter; man vergaß sich selbst; alle Seelen vereinigten sich mit der seinigen, sein Andenken zum Segen, zu einer einzigen Flamme! Wie freute man sich da! Wie lebendig und feurig war diese Freude! Wie aus einer Quelle sprudelte sie empor!

Es gibt Zaddikim, die der Sabbat- und Festtagsfreude teilhaftig sind. Der Wonwolizer, sein Andenken zum Segen, rühmte sich, daß in seiner Seele ein Funke von der Freude des Jom-Kippur-Ausganges steckte! Andere werden nur bei gottgefälligen Mahlen wie bei der Beschneidung usw. der Freude teilhaftig.

Doch unser Adamur, sein Andenken zum Segen, besaß die Freude von »Gelobt sei der Herr jeden Tag!« Und diese Freude hatte er bis zu seinem letzten Augenblick bewahrt, bis zu seinem Hinscheiden, sein Andenken leuchte über uns!

Und wie er sang, wie er tanzte! Auf seinen Gesängen und seinen Tänzen ruhte der heilige Geist!

»Ich eröffne euch«, rief er einmal aus, und man sah, wie aus seinen Augen ein Abglanz der göttlichen Majestät leuchtete. »Ich eröffne euch, daß die ganze Welt nur ein Gesang und ein Tanz vor dem Herrn ist, sein Name sei gelobt! Alle sind Sänger und singen ihm Lob! Jeder Jude ist ein Sänger, und jeder Buchstabe der heiligen Tora ist der Ton eines Lobliedes, und jede Seele in jedem Körper ist ein Musikton; denn jede Seele ist ein Buchstabe der Tora, und die Gesamtheit aller Seelen ist die ganze heilige Tora! Und beide zusammen singen ein Loblied auf den König der Könige, den Heiligen, gepriesen sei sein Name!«

Und weiter sagte er: »Ebenso wie es viele Musiktöne gibt, so gibt es auch verschiedene Musikinstrumente, und jede Melodie ist an ein Instrument gebunden, das diese Melodie spielen kann; und jedes Instrument hat seine eigene Melodie; denn das Instrument ist der Leib, und die Melodie ist die Seele des Instrumentes ...

Auch jeder Mensch ist ein Musikinstrument, und sein Leben ist eine Melodie, eine lustige oder traurige Melodie; und wenn die Melodie zu Ende ist, fliegt die Seele aus dem Körper, und die Melodie, das heißt die Seele, kehrt zum großen Chor vor dem Throne der göttlichen Majestät zurück.«

»Und wehe«, sagte er, »dem Menschen, der ohne eine Melodie lebt: es ist ein Leben ohne Seele; es ist ein Kratzen und Krächzen, doch kein Leben ...«

»Und jede Gemeinschaft ist eine Melodie für sich, und der Zaddik, der über der Gemeinschaft steht, ist der Kapellmeister ... Und jedes Glied der Gemeinschaft kennt seinen Teil der Melodie und muß im richtigen Augenblick und richtig erklingen, sonst verdirbt es die ganze Melodie. Doch der Kapellmeister muß die ganze Melodie kennen, er muß berichtigen und ein-

zelne Stellen auch wiederholen lassen ... Und hört er im Chore eine fremde Stimme, so muß er sie wie einen bösen Geist hinaustreiben, damit sie ihm nicht die ganze Melodie verdirbt, daß Gott sich erbarme!«

»Und wohl ist euch«, sagte er, »daß euch eine fröhliche Melodie beschieden ist ...« Und er, sein Andenken zum Segen, sprach noch viel von diesen Dingen ...

»Die Gelehrten«, sagte er, »die nur oberflächlich studieren, sind wie Fremde, die über einen Zaun auf einen königlichen Palast schauen, den sie nicht betreten dürfen. Sie wagen nicht einmal, an die Türe zu klopfen ... Sie sehen nur die Mauern, Fenster, Schornsteine und die hohen Fahnenstangen auf dem Dache. Manchmal sehen sie den Rauch, der aus den Schornsteinen steigt, und manchmal erhascht ihr Ohr einige Worte der Knechte und Mägde, die durch die Vorzimmer des Palastes eilen ... Doch die, die sich in das Innere der Tora vertiefen, sich an die Seele der Tora hängen, die kommen in den Palast herein; sie sehen die Majestät des Königs und hören, wie man ihn lobt und preist, und sie heften sich mit ihrem Gesang an den König ...«

»Und jene«, sagte er, »die vor dem Palaste stehen, können auch mit den Handwerkern verglichen werden, die ein Musikinstrument zu bauen und auch auszubessern verstehen, doch selbst nicht spielen können. Oft haben sie feine und geschickte Hände, um ein Instrument zu bauen, doch ihre Ohren sind verstopft; und wenn man auf dem Instrumente spielt, das sie selbst gemacht haben, hören sie es nicht; oder sie haben ein verstopftes Herz und fühlen es nicht. Und selbst der berühmteste Handwerker, der ein Instrument an den Mund zu führen versteht, kann es nur ausprobieren, oder er kann nachspielen, was ein anderer vorgespielt hat, doch kalt und ohne Seele. Aber aus sich heraus spielen, — das kann selbst der größte Instrumentenmacher nicht.«

»Und ich«, sagte er, »der ich kein Gelehrter bin, das heißt kein Instrument zu bauen oder auszubessern verstehe, ich kann, gottlob, auf jedem Instrument spielen … Sie sind die Instrumente und wir sind die Melodien! Sie sind die Kleider und wir die Menschen! Sie sind die Leiber und wir die Seelen!«

Selig sind die Ohren, die solches gehört haben!

Selig sind die Augen, die der Gnade teilhaftig waren, die Freude zu sehen, die im Hause des Adamur von Nemirow tagtäglich war. Doch sie war nur wie ein Tropfen im Meere gegen die Freude, die bei der Hochzeit seines Töchterchens herrschte!

Wer Veigeles Hochzeit nicht gesehen hat, der hat überhaupt nichts Gutes gesehen!

Die göttliche Majestät senkte sich damals herab und ruhte auf allen; ein heiliger Geist umhüllte und erleuchtete alle! Alle von Groß bis Klein waren damals gehoben und gekrönt. Selbst die Köchinnen und Diener, selbst die Fuhrleute, die die Verwandten gebracht hatten … Selbst die Bauern, so sagte er, waren auf die Stufe der Gerechten erhoben! …

Der Älteste unter den Gästen, Reb Zaz, sagte mir – und Reb Zaz redete niemals nur um zu reden –, daß es die erste wahre Freude sei seit den sechs Tagen der Schöpfung …

Stellt euch nur vor, welches Rauschen durch alle Himmelsregionen ging, als der Rebbe den Tanz zu Ehren der Braut tanzte!

Ach, sagte ich mir, wenn man nur alle die Ketzer und Spötter, alle die Klügler und Witzler herbringen könnte, damit sie diese Lust, diese Größe und diese Freude sehen! Sie streben doch alle nach den Genüssen *dieser* Welt: sollen sie nun sehen, wie aus *jener* Welt *diese* Welt geworden ist, wie eine ganze Welt von Freude in unsere Stube herabstieg und uns wie die Sonne leuchtete! Die Füße würden sie uns dafür küssen, wenn sie sähen, was ihr ganzes Diesseits wert ist!

Denn ein Tänzchen des Rebben, selbst ein Wochentagstänzchen, wenn er im Tanzschritt einmal durch die Stube ging, — das war auch schon einer der sechzig Genüsse im Garten Eden! Doch bei der Hochzeit war es sicher ein Drittel und vielleicht sogar die Hälfte dieser Zahl!

Die Musikanten spielten gerade eine fröhliche Weise. Die Gäste waren, wie es doch immer bei einer Hochzeit ist, in allen Winkeln verstreut; einige tanzten für sich, zu zweien, zu dreien oder in einem Reigen; andere tranken und sangen; es war wie die Babylonische Sprachverwirrung, wie es doch bei jeder Hochzeit ist.

Plötzlich erhob sich der Rebbe, sein Andenken zum Segen, von seinem Platz, trat in die Mitte der Stube und blieb stehen.

Er gab mit dem Finger den Musikern ein Zeichen, daß sie zu spielen aufhörten.

Der Rebbe stand mitten in der Stube, sein Gesicht glühte vor heiliger Begeisterung, die Augen leuchteten wie die Sterne. Sein atlassenes Gewand glänzte, und sein Streimel strahlte hunderte silberner Strahlen aus — es packte jeden beim Herzen, es blendete alle Augen ...

Es wurde still, und alle Augen richteten sich auf den Rebben und hefteten sich an seine Gestalt. Und allen stockte der Atem, und es wurde so still, daß man das Ticken einer Uhr im siebenten Zimmer hörte. Und in dieser süßen Stille begann der Rebbe sein stilles Lied.

Und plötzlich brach das Lied ab, und der Rebbe begann seltsame abgerissene Töne von sich zu geben — und wir alle verstanden sofort, was die abgerissenen Töne zu bedeuten hatten! Das waren frohe Botschaften, die er in die Welt hinaussandte, um zu verkünden, daß Veigeles, leben soll sie, Chuppe in einer glücklichen Stunde und unter einem glücklichen Stern aufgestellt wird ... Und ich glaubte ganz deutlich zu sehen, wie schneeweiße Tauben dem Rebben aus dem Munde flogen ... Und später mußte er, sein Andenken zum Segen, auch selbst zugeben, daß diese Töne seine Diener und Sendboten waren, die er in die ganze Welt hinaussandte – zu allen Tieren, Bäumen und Gräsern, in alle Wüsten, Wälder, Meere und Ströme, in den Himmel und auf die Erde, in die Hölle und ins Paradies, zu den Stammvätern und zu den himmlischen Heerscharen, um sie alle zur Hochzeit zu laden.

Und die Leute fühlten, daß es in der Stube plötzlich glühend heiß wurde; und als er, sein Andenken zum Segen, sah, daß alle Geladenen gekommen waren, begann er wieder sein süßes Lied zu singen, und er sang es jetzt mit Worten, mit heiligen Worten! Und zugleich fing er zu tanzen an, und alle Blicke senkten sich und hefteten sich an seine heiligen Füße ...

Selig sind die Augen, die solches geschaut haben!

Es ist ja allen bekannt, was bald nach Adamurs Hinscheiden aus seinem Schwiegersohne, dem Manne Veigeles, sie ruhe in Frieden, wurde und was nicht hätte kommen sollen. Und als ich damals wie ein Schaf ohne einen Hirten zurückblieb, reiste ich von einer jüdischen Stadt in die andere und suchte; doch das, was ich wollte, was sich mein Herz ersehnte, fand ich nirgends! Ich sah Verschiedenes, ich sah Gewaltiges und Erhabenes, doch solche Freude konnte ich nirgends mehr finden!

Ich stieß nur auf Trauer, Trübsinn und zerbrochene Herzen; und wenn ich manchmal doch ein wenig Freude sah, so war es nur die Freude vom Anfange des Monats Adar oder die Freude gottgefälliger Mahlzeiten, die nur so lange dauert, als die Flasche auf dem Tische steht! Die vollkommene Freude Adamurs erreichte niemand mehr ... Die Leute können nur noch etwas vor sich hinsummen ... Und wer kann noch tanzen?!

Niemand kann mehr singen: es sind hölzerne Töne; niemand kann tanzen: die Füße bleiben an der Erde kleben. Die Hände sind ungelenk, der Körper – faul und steif gefroren ... Und wenn man schon einmal singt und tanzt – einmal im Jahre gibt es doch das Simchat-Tora-Fest, so ist es nichts Ganzes: die Worte gehen auf die eine Seite, die Melodie auf die andere, und die Füße bewegen sich wieder ganz für sich. Worte, Töne und Tanzschritte haben keine Beziehung zueinander; es ist, als ob fremde Menschen irgendwo zusammengekommen wären und jeder für sich in einem Zimmer auf und ab ginge ...

Mit Adamur starb auch die Freude, die Seele des Tanzes, der Musik und des Gesanges. Nur er allein wußte, welche Bewegungen zu der einen und welche zu der anderen Melodie, welche Töne zu diesen und welche zu jenen Worten gehören.

Doch kehren wir zu unserer Erzählung zurück ...

Adamur steht mitten in der Stube, singt und tanzt. Und wir stehen um ihn dicht gedrängt im Kreise herum; wir hören die Töne und sehen den Tanz. Und nun beginnen wir alle zu singen und zu tanzen; selbst die Musikanten legen ihre Instrumente weg – so mitgerissen sind sie! – und singen und tanzen mit. Und mir wurde die Gnade zuteil, mit Adamur Angesicht gegen Angesicht zu tanzen. Und mitten im Tanzen sehe ich, daß der Bräutigam allein stumm abseits steht und weder singt noch tanzt.

»Rebbe!« schrie ich ganz außer mir: »Selbst die Musikanten singen und tanzen und nur er allein nicht!«

Und der Rebbe kam mir tanzend entgegen und sagte: »Fürchte dich nicht und vertraue dem Glückstern Veigeles, leben soll sie! ...«

Später, vor dem Festmahl, sagte er mir noch:

»Du wirst gleich hören, wie er das, was ich getanzt habe, aus der Tora predigen wird!«

Und so war es auch …

Den Inhalt seiner Tora habe ich vergessen. Ihr wißt doch: ich bin kein großer Gelehrter und habe auch nicht alles erfaßt, umsomehr als er litwakisch sprach und so schnell, daß es sich mir vor den Augen wie ein flammendes Rad drehte …

Doch seine Tora war abgrundtief …

Die Gäste an der Tafel – es waren unberufen mehrere Dutzend hervorragender Gelehrte – saßen mit offenem Munde da und staunten.

Der Kowaler Dajen, sein Andenken zum Segen, der Mann mit dem eisernen Gehirn, der sonst niemand zu Ende sprechen ließ und jedem mit dem Finger ins Gesicht fuhr und »Unwissender!« zurief – selbst dieser saß still mit einem süßen Lächeln auf den Lippen und hörte, andächtig mit dem Kopfe nickend, zu …

Alle hörten zu, doch ich allein wußte das Geheimnis: daß er dasselbe sprach, was der Rebbe getanzt hatte. Sie alle hörten das Äußere, und nur ich allein kannte das Innerste der Sache … Und wenn ich die Augen schloß, sah ich den Rebben tanzen!

Und es war genau so wie beim Tanz des Rebben …

Es war so still, daß man das Ticken der Uhr im siebenten Zimmer hörte …

Der Bräutigam stand in der Mitte, und um ihn herum standen die Leute dicht aneinander gedrängt, mit glühenden Gesichtern, leuchtenden Augen und verhaltenem Atem …

Die lichte Majestät der Tora ruhte auf dem Bräutigam und sandte wie die Sonne nach allen Seiten Strahlen aus, die alle Seelen entzündeten: flammende Seelen standen rings im Kreise!

Und seine Lippen tanzten wie vorhin des Rebben Füße. Und alle Augen hingen an seinen Lippen, wie vorhin an des Rebben Füßen, und alle Leute vergingen in höchster Lust und Selbstvergessenheit …

In diesem Augenblick war auch er Adamur ...

Die Seele der Gemeinschaft ...

Er zog alle Seelen an, wie der Magnet Eisenstaub anzieht ... Wie durch einen Zauber schleppte er sie alle mit sich auf die Gassen, aus der Stadt heraus, über Berg und Tal, durch Meere und Wüsteneien ...

Und seine Augen leuchteten wie Adamurs Augen, und seine Hände bewegten sich wie Adamurs heilige Füße ...

Ich sitze wie im Traum da; plötzlich berührt jemand meine Schulter.

Ich blicke mich um: es ist Adamur:

»Siehst du! So habe ich getanzt! Doch eine meiner Melodien hat in seine Tora nicht eindringen können, sie ist vor der Türe stehen geblieben: er ist ja des Wilnaer Gaons Schüler! Ach ja!«

Dieses »Ach ja!« drang mir ins Herz wie ein Messer.

Plötzlich sagte er:

»Geh, Chajim, laß den Gojim bei den Fuhrwerken Branntwein geben!«

Was er damit meinte, verstand ich schon gar nicht!

EIN ZWIEGESPRÄCH

An einem Frühlingstage, einem richtigen warmen Pessachtage, gehen Reb Schachne, ein langer, magerer Jude, der letzte Überrest der alten Kozker Chassidim-Gemeinde, und Reb Sorach, ein ebenso magerer, doch kleingewachsener Jude, der letzte lebende Vertreter der alten Belzer Gemeinde, vor der Stadt spazieren. In ihren jüngeren Jahren waren sie Feinde auf Tod und Leben, denn Reb Schachne war der Anführer der Kozker gegen die Belzer, und Reb Sorach der Anführer der Belzer gegen die Kozker. Doch jetzt, wo sie beide alt geworden sind und die Kozker nicht mehr das sind, was sie früher waren, ebenso wie auch die Belzer ihr früheres Feuer verloren haben, sind sie aus den Parteien ausgetreten und haben die Führerschaft jüngeren Leuten überlassen, die in Glaubenssachen schwächer, sonst aber rüstiger sind als sie.

An einem Wintertage, an der Ofenbank im Bethause, haben sie Frieden geschlossen, und nun gehen sie am dritten Pessachfeiertage spazieren. Am weiten, blauen Himmel strahlt die Sonne, aus der Erde sprießen überall Halme, und man kann beinahe sehen, wie bei jedem Grashalme ein Engel steht und ihn zur Eile antreibt. Vögel schießen durch die Luft auf der Suche nach den vorjährigen Nestern. Und Reb Schachne sagt zu Reb Sorach:

»Die Kozker Chassidim, die richtigen Kozker von altem Schrot und Korn – von den heutigen Kozkern spreche ich nicht! – hielten nicht viel von der Haggada ...«

»Doch um so mehr von den Mazzeknödeln!« lächelt Reb Sorach.

»Lache nicht über die Knödel!« antwortet Reb Schachne sehr ernst. »Lache nicht! Du kennst doch die geheime Bedeutung des Bibelwortes: ›Du sollst den Knecht nicht seinem Herrn überantworten‹?«

»Mir genügt es«, antwortet Reb Sorach stolz und überlegen, »daß ich die Verzückung des Gebets kenne.«

Reb Schachne tut so, als ob er es nicht gehört hätte, und fährt fort:

»Der offenbare Sinn der Worte ist doch klar: wenn ein Knecht, ein Diener, ein Leibeigener seinem Herrn entläuft, darf man ihn, nach dem Gebote der Tora, nicht einfangen; man darf ihn nicht binden und seinem Herrn zurückbringen. Denn wenn ein Mensch entlaufen ist, so konnte er es wohl nicht länger aushalten ... Es handelt sich also einfach um die Rettung einer Menschenseele! Und der verborgene Sinn dieser selben Worte ist ebenso einfach. Der Menschenleib ist ein Knecht, der Knecht der Seele! Der Leib ist ein Lüstling: sieht er ein Stück Schweinefleisch oder eine fremde Frau, oder irgendeinen Götzendienst, oder ich weiß nicht was, so will er aus der Haut fahren. Doch die Seele wehrt es ihm und spricht: ›Du sollst nicht sündigen!‹, und er muß sich fügen. Ebenso umgekehrt: will die Seele irgendein göttliches Gebot erfüllen, so muß es der Leib für sie tun, und wenn er noch so müde und zerschlagen ist: die Hände müssen arbeiten, die Füße laufen, der Mund sprechen ... Warum? Weil es ihm sein Herr, das heißt die Seele, befohlen hat. Und dennoch heißt es: ›Du sollst den Knecht nicht seinem Herrn überantworten.‹ Man darf also den Leib nicht ganz an die Seele

ausliefern: die flammende Seele würde ihn sonst zu Asche verbrennen, und hätte der Schöpfer Seelen ohne Leiber haben wollen, so hätte er überhaupt keine Welt erschaffen! Darum hat auch der Leib seine Rechte; es steht geschrieben: ›Wer zuviel fastet, ist ein Sünder‹; denn der Leib muß essen! Wer fahren will, muß seinen Gaul füttern. Kommt irgendein Feiertag, so freue auch du dich, Leib! Nimm einen Schluck Branntwein! Die Seele hat ihre Freude, und auch der Leib hat seine Freude: die Seele erfreut sich am Segensspruch, den man dabei sprechen muß, und der Leib am Branntwein selbst! Heut ist Pessach, das Fest der Erinnerung an unsere Befreiung aus Ägypten, komm her, Leib, da hast du einen Mazzeknödel! Und der Leib fühlt sich dadurch gehoben; denn er wird teilhaftig der wahren Freude, die in der Erfüllung eines göttlichen Gebots liegt ... Lache nicht über die Knödel, mein Lieber, lache nicht!«

Reb Sorach muß gestehen, daß die Auslegung tief ist und sich hören lassen kann. Er ißt aber aus Prinzip keinerlei aus Mazze hergestellte Speisen!

»In diesem Falle hast du deine Freude an der trockenen Mazze selbst ...«

»Wer hat genug Mazze, um sich satt zu essen? Und wer hat noch Zähne, um sie zu beißen?«

»Wie erfüllst du dann das Gebot: ›An deinen Festen sollst du dich freuen‹ in bezug auf den Leib?«

»Weiß ich? Manchmal hat der Leib Freude an einem Schluck Rosinenwein ... Ich persönlich habe meine größte Freude an der Haggada selbst. Ich sitze da, lese die Haggada, zähle die ägyptischen Plagen auf, verdoppele sie und lese sie immer von neuem ...«

»Du roher Kerl!«

»Roher Kerl? Nach so vielen Verfolgungen, die das Volk Israel erlitten, nach so vielen Jahren der Verbannung der göttlichen Majestät aus ihrem Tempel? Ich meine, man hätte einführen sollen, daß die zehn Plagen siebenmal aufgezählt werden ... Daß das Gebet ›Ergieße deinen Zorn, Herr, auf die Völker, die dich nicht anbeten!‹ siebenmal gesprochen wird! Doch vor allen Dingen die ägyptischen Plagen – die machen mir die größte Freude! Ich würde sie am liebsten bei offenen Türen und Fenstern aufzählen: sollen sie es nur hören! Was habe ich zu fürchten? Die heilige Sprache verstehen sie ja sowieso nicht!«

Reb Schachne wird für eine Weile nachdenklich, und dann beginnt er wie folgt:

»Ich will dir eine Geschichte erzählen, die bei uns

passiert ist. Ich will nicht übertreiben – etwa zehn Häuser entfernt vom Hause des Rebben, sein Andenken zum Segen, wohnte ein Metzger. Ich will nicht mit dem Munde sündigen; denn der Mann ist schon längst in jener Welt –, aber der Metzger war ein roher Mensch, nun eben ein echter Metzger. Einen Nacken hatte er wie ein Stier, Augenbrauen wie Borsten und Hände wie Klötze. Und erst seine Stimme! Wenn er sprach, klang es wie ein ferner Donner oder wie wenn Soldaten schießen! Ich glaube sogar, er stammte aus Belz ...«

»Na, na!« brummt Reb Sorach.

»So wahr ich lebe!« erwidert Reb Schachne kaltblütig. »Zu beten pflegte er mit einer besonders wilden Stimme, mit allerlei Nebengeräuschen. Bei manchen Gebeten klang es, wie wenn man Wasser ins Feuer schüttet ...«

»Das kannst du dir schenken!«

»Nun stelle dir vor, was für einen Lärm es gibt, wenn sich so ein Kerl an den Pessachtisch setzt und die Haggada liest! In der Wohnung des Rebben hört man jedes Wort! Nun, ein Metzger ist eben ein Metzger. Alle Tischgenossen beim Rebben lachen. Und selbst der Rebbe, seligen Angedenkens, bewegt leise die Lippen, und man sieht, daß er lächelt. Doch später, als der Bursche anfing, die Plagen aufzuzählen, als sie ihm aus dem Maule herausflogen wie Flintenkugeln, als er bei jeder Plage mit der Faust auf den Tisch hämmerte, daß die Weinbecher klirrten, wurde der Rebbe, sein Andenken sei gesegnet, sehr traurig ...«

»Traurig? Am Feiertage, am heiligen Pessachfeste – traurig? Was redest du da?«

»Man fragte ihn auch nach der Ursache.«

»Und was gab er für eine Antwort?«

»Auch der Schöpfer der Welt, sagte er, ist beim Auszug Israels aus Ägypten traurig gewesen.«

»Wo hat er das her?«

»Es steht in einem Midrasch! Als die Kinder Israels durch das Meer gezogen waren und das Meer zurückfloß und den Pharao mit seinem ganzen Heer bedeckte und ertränkte, fingen die Engel zu singen an, die Seraphim flogen, und die Räder, auf denen Gottes Thron ruht, rollten durch alle sieben Himmel, jauchzend ob der guten Botschaft. Und die Gestirne und Sternbilder fingen zu tanzen an! Du kannst dir denken, was für eine Freude es war, als es hieß: Der Pharao und die Ägypter sind ertrunken! Doch der Schöpfer der Welt gebot allen Ruhe und sprach von seinem Throne herab: ›Meine Kinder ertrinken im Meere, und ihr singt und tanzt?‹ Denn der Pharao und sein ganzes Heer und selbst die ganze Unreinheit sind Gottes Geschöpfe ... ›Und der Herr erbarmte sich seiner Schöpfung‹ – so steht es geschrieben!«

»Von mir aus ...«, seufzt Reb Sorach. Nach einer Weile fragt er:

»Und wenn das schon in einem Midrasch steht, was hat da dein Rebbe Neues entdeckt?«

Reb Schachne bleibt stehen und sagt sehr ernst:

»Erstens, du Belzer Narr, ist niemand verpflichtet, neue Auslegungen zu geben: in der Tora gibt es nichts Neues und nichts Altes, das Neue ist alt und das Alte neu. Zweitens wird damit erklärt, warum es Sitte ist, die ganze Haggada mit einer traurigen Melodie zu singen. Und drittens verstehen wir jetzt den Vers: ›Israel soll sich nicht erfreuen nach der Art der anderen Völker.‹ Deine Freude soll nicht roh sein! Du bist doch kein Bauer! Rachlust ist kein jüdisch Ding!«

DIE OFFENBARUNG ODER DIE GESCHICHTE VOM ZIEGENBOCK

Reb Nachmanke erzählte diese Geschichte an einem Sabbatausgang, wenige Wochen nach seiner Offenbarung.

Seine Offenbarung geschah, wie jedermann bekannt ist, ganz zufällig: es kommt ein Mann gelaufen oder eine Frau und schleppt einen an den Rockschößen von den höheren Welten herab: man braucht Rat in Geschäftssachen oder wegen einer Heirat oder bittet um ein Mittel für eine Frau, die in schweren Kindsnöten liegt, oder sonst für einen Kranken, daß Gott sich erbarme ... Und wie kann man es einem Juden abschlagen? Man läßt also, fast zufällig, ein Wort fallen und das Wort geht in Erfüllung! Und das geschieht einmal, das zweite Mal — und schon ist es offenbar, wie Öl auf dem Wasser! Und nun laufen die Leute von allen Seiten herbei ...

So war es auch mit Reb Nachmanke ... Konnte er denn jemand etwas abschlagen? Und die Leute merkten es ... Das stille Ewige Licht flackerte hell auf und leuchtete auf einmal in allen Gassen!

Natürlich herrscht darob im Städtchen die größte Freude. Einerseits fehlt es nicht an Leiden, und ein Guter Jid kann immer helfen; und andererseits wird es nun viel zu verdienen geben: die Leute sehen schon, wie man zu ihnen von allen vier Enden der Welt zusammenkommt ... Und wie die Pilze nach einem Regen wachsen schon kleine Wunderchen, bescheidene heimische Mirakelchen. Wie kann es auch anders sein, wenn jedes Wort, das von seinen Lippen kommt, wie das Wort eines mächtigen Königs ist! Nun kommen die Gerüchte in die Nachbarstädte. Für den Sabbat muß man in seinem Hause eine Wand durchbrechen und eine Tafel durch zwei Stuben decken: für die Stadtleute und für die Fremden aus den Dörfern und kleinen Städtchen ... Und auf die Tafel stellt man Weine und Obst; die Obsternte war in dem Jahr sehr gut geraten ...

Und die Freude wächst mit jedem neuen Gesicht, das sich in der Stadt zeigt. Zu Schalaschudes dröhnt aus den Fenstern ein Lied, so daß die Sterne am Himmel vor Freude tanzen! Man dankt dem Herrn und man macht ein Tänzchen um den Tisch herum ... Und er, Reb Nachmanke, dem diese ganze Freude gilt, sitzt an der Spitze der Tafel und scheint ganz gleichgültig. Zu Hawdala wird er schon ganz traurig; die Hände zittern ihm so, daß man fürchtet, er werde den Weinbecher fallen lassen. Nach Hawdala zieht er sich in einen Winkel zurück, spricht die Gebete, die man noch sprechen muß, erhebt sich plötzlich von seinem Platz und geht hinaus.

Die Leute wollen ihm, versteht sich, nachgehen. Er wendet sich aber noch einmal um und winkt ihnen ab. Also bleibt man in der Stube. Man schaut zum Fenster hinaus und sieht, wie er über den Markt geht und aus der Stadt ins Freie wandert, gebückt wankend, wie von Trauer erdrückt.

Alle werden trübsinnig.

Die einen setzen sich wieder an den Tisch, die anderen gehen auf und ab und manche gehen nach Hause ... Die Zurückgebliebenen versuchen, ein frommes Lied zu singen, doch man hat keine rechte Lust zum Singen. Man schickt ein wenig Branntwein holen, man hat aber auch keine Lust zum Trinken.

Was kann einem solchen Mann fehlen?

»Sein Einkommen hat er ja schon!« sagt ein Flegel. Da wirft man ihm zornige Blicke zu, so daß ihm die Muttermilch gerinnt. Doch die Frage bleibt noch immer eine Frage!

»Wenn ein Mensch diese Stufe erreicht«, bemerken andere, »so muß er doch voller Freude sein!«

Unter den Leuten war ein gewisser Reb Jehoschua, ein Parzewer Melamed, der noch des Königs Antlitz geschaut hatte – einer von Baal-Schems Leuten. Ein guter Charakter, ein Mensch, dem jede Galle fehlte. Und er wird böse: »Trauer?!« stammelt, ja stottert er, »Tt-t-rauer?! Wenn ein Mensch diese Stufe erreicht hat, daß er allen Juden wohl tun kann, daß er imstande ist, die himmlischen Gerichtsbeschlüsse, wie man es so nennt, zu zerbrechen ... Wie? Was?«

»Gewiß!« bestätigen die anderen. »Hat er denn wenigen geholfen?« Und man fängt an, Geschichten von ihm zu erzählen. Und es stellt sich heraus, daß er in der kurzen Zeit schon sehr viel erreicht und durchgesetzt hat ... Ich will euch alle Geschichten nicht wieder erzählen ... Sie sind ja auch wie ein Tropfen im Meere gegen das, was er später vollbrachte. Doch die Geschichte von der Ziege muß ich euch erzählen, denn sie zeigt, wie bescheiden und wie gütig er war!

Im Städtchen lebte eine alte Witwe, eine ganz einfache Frau; ich glaube, ihr Mann war Schneider gewesen. Und sie hielt sich eine Ziege. Die ganze Ziege war keine Prise Tabak wert, doch die alte Frau hatte an ihr große Freude. Mit der Zeit wurde es ihr immer schwerer, die Ziege zu melken: die Frau war alt, die Hände zitterten ihr, also vergoß sie jedesmal ein paar Tropfen Milch. Und wieviel Milch gab die Ziege im ganzen? Die Frau schleppt sich nun zu Reb Nachmanke und verklagt die Ziege: die Ziege sei eine schlechte Ziege; sie habe keine Manieren gegen eine alte Frau und lasse sich nicht ruhig melken ... Lächelnd hört er sie an und sagt ihr: »Geh nach Hause, Frau, es wird dir geholfen werden ...« Und es wurde ihr auch wirklich geholfen! Das heißt, die Hände hörten ihr nicht auf zu zittern, denn sie war uralt, eine Achtzigerin, und vielleicht noch älter. Aber die Ziege wurde eine ganz andere Ziege: sie kam von nun an ganz von selbst zur richtigen Zeit zum Melken, stellte sich vor die Alte hin, hob ein Bein und blieb bis zum letzten Tropfen Milch ganz ruhig stehen!

Nach der Geschichte mit der Ziege will jemand etwas anderes erzählen, ich glaub' einen Fall mit ungeratenen Kindern. Doch wie er anfängt, hört man plötzlich, wie jemand von draußen durchs Fenster hereinruft:

»Noch einmal – Gut Woch', Kinder.«

Es ist des Rebben Stimme.

Es stürzen alle zum Fenster. Der Rebbe steht draußen, die Ellbogen auf das Fensterbrett und den Kopf in die Hände gestützt, und seine Augen leuchten so gütig, doch immer noch nicht freudig.

»Ich will euch eine Geschichte erzählen«, sagt er, »damit ihr euch nicht wundert ...«

Man will ihm einen Sessel hinaustragen, er läßt es aber nicht zu. Er will stehen. Da läuft die Hälfte der Leute hinaus und stellt sich hinter ihm auf. Er steht vor dem Fenster, und in der Höhe über ihm steht der Mond, wie eine Krone über seinem Kopf ... Und so am Fenster stehend, erzählt er uns die Geschichte vom Ziegenbock und von seiner Offenbarung ...

»Es war einmal«, so fing er an, und seine Stimme war mit Trauer durchtränkt, »es war einmal ein Ziegenbock. Von außen betrachtet ein Ziegenbock wie alle Ziegenböcke; und vielleicht auch nicht ... Niemand hat ihn gemessen, niemand kannte ihn überhaupt ... Denn er liebte die Einsamkeit. Er zeigte sich niemals in Gesellschaft ... Er war Junggeselle und vielleicht auch kein Junggeselle ...

Hinter der Stadt stand ein altes zertrümmertes Gemäuer ... Ein Überrest uralter Zeiten ... Man erzählte sich, und es war anscheinend auch wahr, daß das Gemäuer von einer heiligen Stätte, von einer Schul oder einem Lehrhaus herrührte ... Vor Zeiten hatte man an dieser Stätte gebetet, Tora gelernt; und als das Haus zerstört wurde, so vergoß vielleicht jemand dabei sein Blut und heiligte damit den Namen Gottes ... Alte Geschichten! ... Heute wächst zwischen den Mauern Gras ... Seltsames Gras ... Gottes Gras ... Niemand sät es und niemand mäht es ... Bei diesem Gemäuer wohnte der Ziegenbock, und von diesem Grase lebte er ...

Doch das Gras, das an einem solchen Orte wächst, ist kein gewöhnliches Gras: es ist ein ausgezeichnetes Mittel für Hörnerwuchs: Von solchem Gras wachsen sie sehr schnell in die Höhe ... Und noch eine Eigenschaft hat das Gras: die Hörner, die davon wachsen, sind lebendige Hörner: sie lassen sich einziehen und verbergen und auch ausstrecken und verlängern ...

Solange sie eingezogen sind, liegen sie still, und kein Mensch weiß etwas von ihnen und ihrer Länge. Doch wenn sie sich offenbaren und strecken, so können sie bis in den Himmel hinauf reichen!

Und der Ziegenbock war ein eingefleischter, strenger Nasiräer: er hatte das Gelübde getan, kein anderes Gras ins Maul zu nehmen, als das von der heiligen Stätte ... Und selbst hier fraß er nicht jedes Gras, sondern nur an ganz bestimmten Stellen ... Er verstand sich auf Gras und zupfte sich nur das schönste, das am besten schmeckte und am lieblichsten duftete. Er war ein ganz großer Kenner: er schmeckte genau heraus, an welcher Stelle das eine oder andere Gras gewachsen war: dieses da kommt von der Tora, dieses von inbrünstigen Gebeten, und dieses gar vom jüdischen Blut, das zur Heiligung des göttlichen Namens vergossen wurde ... Und gerade nach diesem Gras ging sein Begehren ...

Und seine Hörner wuchsen und wurden immer länger und länger …

Er trug sie aber immer eingezogen, denn er war Nasiräer und verheimlichte sein wahres Wesen … Doch des Nachts, wenn das Städtchen schläft; wenn die frommen Juden in den Betstuben zum Mitternachtsgebet versammelt sind und aus den Fenstern der Lehrhäuser und Betstuben der Schmerz des Psalms ›An den Wassern Babels‹ dringt und sich zwischen Himmel und Erde ergießt, – dann ergreift auch den Ziegenbock eine verzehrende Sehnsucht: er stellt sich auf die Hinterbeine, streckt die Hörner aus, reckt sich empor und, wenn am Himmel der noch junge, eben erst gesegnete und geheiligte Mond steht, hakt er die Spitzen der Hörner an den unteren Mondzipfel fest und fragt:

›Was hört man dort oben, heiliger Mond? Ist noch nicht Zeit, daß der Messias kommen soll?‹

Und der Mond gibt die Frage an die Sterne weiter, und die Sterne beginnen zu zittern und bleiben auf ihren Bahnen stehen. Und auch die Nacht verstummt und hält in ihrem Gesange inne … Man wundert sich oben, vor dem Throne der Göttlichen Majestät, daß der Gesang der Nacht plötzlich verstummt, und schickt jemand hinunter, zu erfahren, was los ist. Der Bote kommt zurück und meldet, daß Mond und Sterne auf ihren Bahnen stehen geblieben sind und fragen, ob die Stunde der Erlösung schon nahe sei …

Da seufzt man vor dem Throne der Göttlichen Majestät …

Und solches kann eine Wirkung haben …«

An dieser Stelle unterbrach Reb Nachmanke seine Erzählung.

Er bedeckte sich das Gesicht mit den Händen, und man sah deutlich, wie ihm der Kopf und die Hände zitterten. Und auch der Mond, der am Himmel als Krone über seinem Kopfe stand, schien zu zittern. Erst nach einer Weile hob er den Kopf, und wir sahen sein blasses Gesicht. Und er sprach mit einer seltsam zitternden Stimme weiter:

»Daß der Ziegenbock sich hier unten bei den Menschen aufhielt, war eine große Gnade von ihm …

Ein anderer, der solche Hörner hat, hakt sich mit ihnen am Monde fest, macht einen Satz und springt geradewegs ins Paradies hinein … Wer kann's ihm wehren?

Er aber war barmherzig; die Gemeinde tat ihm leid, und er wollte sie nicht verlassen … Von Zeit zu Zeit kommt ein Hungerjahr. Die Leute verarmen, Weiber verkaufen ihren Schmuck, Männer die Goldstickereien von den Kitteln und Gebetmänteln. Chanukkalampen, Sabbatleuchter, Sabbat- und Festtagskleider wandern aus dem Städtchen hinaus … Und es wird immer ärger … Man muß die kleinen Kinder aus dem Cheder nehmen, weil man kein Geld hat, den Melamed zu bezahlen … Böse Krankheiten und Hungersnot brechen aus … – und in dieser Stunde muß er helfen!

Es gibt am Himmel eine Milchstraße … Sie ist aber gar keine Straße … Niemand geht auf ihr, niemand fährt auf ihr …

Es sind Felder, weite Felder, mit Edelsteinen und Perlen besät … Zahllos sind die Edelsteine und Perlen: für die Kronen der Gerechten im Paradiese sind sie bestimmt. Niemand führt über sie Buch, niemand zählt sie nach – sie sind wie der Sand am Meer! Und sie vermehren sich von Tag zu Tag, doch die Zahl der Gerechten wird immer kleiner … Darum breiten sich die Edelsteinfelder immer weiter aus …

Und wenn es auf Erden nicht mehr zum Aushalten ist, und der Beschluß des himmlischen Gerichtshofes sich, Gott behüte, nicht abwenden läßt, geht er, der heimliche Besitzer der lebendigen Hörner in stiller Mitternachtsstunde hinaus, wenn das Städtchen schläft und aus Schul und Lehrhaus das stille Weinen und Klagen ob der Verbannung des Volkes Israel und der Göttlichen Majestät dringt, und er stellt sich auf die Hinterbeine, reckt die Hörner, reißt mit ihnen aus der Milchstraße einen Edelstein los und wirft ihn auf den Marktplatz des Städtchens herab. Da zerbricht der Stein in tausend Splitter, und wenn die alten Juden vom Mitternachtsgebet nach Hause gehen, sehen sie auf dem Marktplatz Edelsteine funkeln. Sie heben sie auf und haben dann eine Zeitlang etwas, wovon sie leben können …

Darum will der Ziegenbock nicht hinauf …«

Reb Nachmankes Stimme stockt wieder. Und nach einer Weile fährt er fort:

»Durch seine Barmherzigkeit ging er schließlich zugrunde!

Durch seine Güte wurde er allen Menschen offenbar; das heißt nicht er, sondern seine Hörner …

Und es geschah wegen einer Kleinigkeit, wegen Schnupftabak.«

So seltsam klang seine Stimme, als er die Geschichte zu Ende erzählte, daß man nicht wußte, ob er weinte oder lachte.

»Wegen Schnupftabak«, sagte er. »Die Leute gewöhnten sich das Schnupfen an. Sie sagten, daß es davon hell vor den Augen werde. Und wenn man schnupft, so braucht man auch Dosen für den Schnupftabak … Findet ein Jude irgendwo auf dem Misthaufen ein Stück Horn, hebt er es auf und macht sich eine Schnupftabaksdose daraus … Geht ein anderer, trifft irgendwo eine Ziege oder eine Kuh und bittet sie um ein Stück Horn … Stößt sie ihn in die Rippen … Nun kommt ein Jude zufällig bei der Trümmerstätte vorbei und trifft dort unsern Ziegenbock. Und er bittet ihn: ›Bursche! Und wenn du auch kein Bursche bist … Hast so große Hörner! Schenk mir doch ein bißchen Horn für eine Tabaksdose!‹ Der Ziegenbock kann es ihm nicht abschlagen, und der Jude schneidet sich ein Stück von seinem Horn ab … Kommt er ins Lehrhaus, bietet er den Leuten eine Prise an. Man fragt ihn, wo er das feine Horn her habe, und er sagt es ihnen … Nun geht schon jedermann zum Ziegenbock und bittet ihn um ein Stückchen Horn, jedermann, der Tabak schnupft … Und er kann es niemand abschlagen … Er neigt vor jedem den Kopf, und jeder schneidet sich ein Stück ab … Wer auch kommen mag, vor jedem neigt er den Kopf: ›Schneide! …‹ Und das Horn wird berühmt, und man kommt schon aus den Nachbarstädten, sich Horn zu holen … Und bald wird man aus allen Wohnungen Israels zu ihm kommen … Es wird genug Tabaksdosen geben … Doch der Ziegenbock wird bald keine Hörner haben, um sich an den Mond anhängen zu können; er wird nicht mehr fragen können, wann der Messias kommt … Er wird sogar zur Milchstraße nicht mehr hinaufreichen können, um einen Edelstein herunterzuwerfen …«

Reb Nachmanke brach hier die Geschichte ab, wandte sich um und ging fort …

Im gleichen Augenblick verdeckte eine Wolke den Mond, und wir alle verfielen in Trauer und Trübsinn …

Wie bekannt, wandte sich doch alles zum Besten.

ZWISCHEN ZWEI BERGEN

Vom Brisker Row und vom Bjaler Rebben habt ihr doch sicher gehört. Doch nicht alle wissen, daß der Bjaler Zaddik, Reb Nojachke, früher einmal ein Lieblingsschüler des Brisker Rows gewesen ist, daß er, nachdem er bei ihm viele Jahre gelernt hatte, eines Tages plötzlich verschwand, mehrere Jahre als freiwilliger Flüchtling umherirrte und sich schließlich in Bjala offenbarte.

Er verließ den Brisker Row aus folgendem Grunde: er lernte bei ihm Tora, doch er fühlte, daß die Tora, die er lernte, trockene Tora war. Man lernt zum Beispiel ein Gesetz von den Frauen oder von Milch und Fleisch oder von Geldsachen … Sehr schön! Wenn Ruben und Schimen einen Rechtsstreit miteinander haben oder ein Diener kommt und eine Frage stellt oder eine Frau sich wegen etwas erkundigt, dann bekommt das Lernen sofort Leben; es lebt und hat einen Bestand in der Welt. Doch ohne dieses Leben ist die Tora, das heißt der Leib der Tora, das Offenbare, das, was oben liegt, zu trocken: so fühlte der Rebbe. Er fühlte, daß nicht das die lebendige Tora ist! Tora muß Leben haben! Kabbalistische Werke durfte man damals in Brisk nicht anrühren. Der Brisker Row war ein Misnagid, rachsüchtig und streitbar wie eine Schlange. Wenn jemand in den Sohar oder in ein ähnliches Werk hineinsah, so verfluchte er ihn und verhängte über ihn den Bann. Als er einmal jemand mit einem kabbalistischen Buche erwischte, ließ er ihm den Bart abrasieren – und das durch einen Goj! Was meint ihr? Der Mann verlor den Verstand und verfiel in Schwermut; das Unerklärliche dabei war, daß ihm kein Guter Jid mehr helfen konnte! Mit dem Brisker Row ist nicht zu spaßen. Und doch, wie verläßt man so plötzlich des Brisker Rows Jeschiwe?

Eine Zeitlang kämpfte er gegen diesen Gedanken. Doch einmal wurde ihm vom Himmel ein Traum gesandt. Es träumte ihm, daß der Brisker Row zu ihm kam und ihm sagte: »Komm mit, Nojach, ich will dich in die untere Abteilung des Paradieses führen!« Und er nahm ihn bei der Hand und zog ihn mit sich fort. Sie kamen in einen großen Palast. Im Palaste gab es weder Fenster noch Türen, außer der Türe, durch die sie hereingekommen waren. Hell war es im Palast, denn die Wände, so schien es dem Rebben, waren aus Kristall und strahlten ein blendendes Licht aus.

Und sie gehen und gehen, und es ist kein Ende zu sehen.

»Halt dich an meinem Mantel fest«, sagt der Brisker Row, »es gibt hier Säle ohne Ende und ohne Zahl. Und wenn du dich von mir trennst, wirst du dich für alle Ewigkeit verirren ...«

Der Rebbe hält sich an seinem Mantel fest, und sie gehen immer weiter und weiter; doch auf dem ganzen Weg ist weder eine Bank noch sonst ein Möbelstück zu sehen!

»Hier sitzt man nicht!« erklärt ihm der Brisker Row. »Man geht immer weiter und weiter!« Und sie gehen weiter. Und ein Saal ist immer größer und strahlender als der andere, und die Wände leuchten hier in der einen, dort in der anderen Farbe; hier in einigen und dort in allen Farben ... Doch sie treffen unterwegs keine lebende Seele ...

Der Rebbe wurde vom Gehen müde. Er war in kalten Schweiß gebadet, und es war ihm kalt in allen Gliedern. Und obendrein schmerzten ihm auch die Augen vor dem blendenden Glanz ...

Und es wurde ihm bange ums Herz; er sehnte sich nach Juden, nach Freunden, nach ganz Israel! Es ist doch wirklich keine Kleinigkeit – man begegnet keinem einzigen Juden! ...

»Sehne dich nach niemand«, sagt der Brisker Row. »Dieser Palast ist nur für dich und mich bestimmt ... Du wirst einmal auch Brisker Row werden!«

Und der Rebbe erschrickt noch mehr und stützt sich an die Wand, um nicht umzufallen. Doch er verbrennt sich die Hände! Es ist aber nicht das Brennen von Feuer, sondern das Brennen von Eis!

»Rabbi!« ruft er aus, »die Wände sind aus Eis und nicht aus Kristall! Es ist nichts als Eis!«

Der Brisker Row schweigt.

Und der Rebbe schreit wieder:

»Rabbi! Führt mich von hier fort! Ich will nicht mit Euch allein sein! Ich will mit dem ganzen Volke Israel zusammen sein!«

Und kaum hatte er diese Worte gesprochen, als der Brisker Row verschwand und er allein im Palaste zurückblieb.

Er kennt keinen Weg und weiß nicht, wie er herauskommen soll. Von den Wänden haucht es ihn mit kaltem Grauen an. Und die Sehnsucht, einen Juden zu sehen, und wenn es auch nur ein Schneider oder Schuster wäre, wird in ihm immer stärker. Und er bricht in Tränen aus ...

»Herr der Welt«, betet er, »bring mich von hier fort! Es ist besser, mit dem ganzen Volke Israel in der Hölle zu schmachten, als hier allein zu bleiben!«

Und im gleichen Augenblick erschien vor ihm ein einfacher Jude, mit einem roten Fuhrmannsgürtel um die Lenden und einer langen Peitsche in der Hand. Der

Jude nahm ihn schweigend am Ärmel, führte ihn aus dem Palaste hinaus und verschwand. So einen Traum sandte man ihm vom Himmel!

Als er vor Tagesanbruch erwachte, begriff er, daß es kein gewöhnlicher Traum gewesen war. Er kleidete sich schnell an und eilte ins Lehrhaus, um sich den Traum von den gelehrten Männern, die im Lehrhaus nächtigen, deuten zu lassen. Unterwegs sah er auf dem Markte einen ganz altmodischen Wagen mit leinenem Verdeck stehen und beim Wagen einen jüdischen Fuhrmann mit einem roten Gürtel um die Lenden und einer Peitsche in der Hand; er sah genau so aus, wie der Mann, der ihn im Traum aus dem Palast hinausgeführt hatte.

Er begriff sofort, daß daran etwas sein müsse. Er ging auf den Fuhrmann zu und fragte ihn:

»Wo fahrt ihr hin?«

»Es ist nicht deine Sache!« antwortete der Fuhrmann sehr grob.

»Sag es mir doch«, bat er den Fuhrmann. »Vielleicht werde ich mitfahren!«

Der Fuhrmann dachte eine Weile nach und sagte:

»Kann denn so ein Bursche wie du nicht zu Fuß gehen? Geh deiner Wege!«

»Und wohin soll ich gehen?«

»Wohin deine Augen schauen!« antwortete der Fuhrmann und wandte sich von ihm weg. »Was geht's mich an?«

Der Rebbe verstand, was damit gemeint war und machte sich auf die Wanderung.

Er offenbarte sich, wie gesagt, einige Jahre später in Bjala. Auf welche Weise das geschah, will ich nicht erzählen, obwohl die Geschichte so ist, daß man Mund und Ohren aufreißen würde, wenn ich sie erzählen wollte. Und etwa ein Jahr nach seiner Offenbarung bot mir ein Bjaler Bürger, namens Reb Jechiel, bei sich einen Melamed-Posten an.

Anfangs wollte ich den Posten gar nicht annehmen. Reb Jechiel, müßt ihr wissen, war ein reicher Mann, einer der satten reichen Leute der alten Zeit. Seinen Töchtern pflegte er je tausend Dukaten Mitgift zu geben und sie mit den Söhnen der berühmtesten Rabbiner zu verheiraten. Und seine jüngste Schwiegertochter war eine Tochter des Brisker Rows!

Wenn der Brisker Row und ebenso die anderen angeheirateten Verwandten streitbare Misnagdim sind, versteht es sich doch von selbst, daß auch Reb Jechiel ein streitbarer Misnagid wird ... Ich bin aber ein Bjaler Chassid; wie kann ich einen Posten in einem solchen Hause annehmen?

Es zog mich aber stark nach Bjala! Es ist doch keine Kleinigkeit, mit dem Rebben in der gleichen Stadt zu wohnen! Ich überlegte mir die Sache und fuhr schließlich hin.

Reb Jechiel war, wie sich zeigte, ein einfacher, frommer Jude, und ich bin überzeugt, daß es ihn in der Tiefe seiner Seele wie mit einer Zange zum Rebben hinzog. Denn er war ja ein ganz ungelehrter Mann und sah auf den Brisker Row mit denselben Augen, mit denen der Hahn auf das Gebet »Bnej Adam« sieht! Er verwehrte mir auch nicht, mit dem Bjaler Rebben zu verkehren, doch er selbst hielt sich abseits. Wenn ich ihm etwas vom Rebben erzählte, tat er so, als ob er vor Langweile gähnen müßte, doch ich sah, daß er dabei die Ohren spitzte. Aber sein Sohn, des Brisker Rows Schwiegersohn, runzelte die Stirne, sah mich böse und spöttisch an, widersprach mir aber nicht. Er pflegte auch sonst wenig zu reden.

Und es kommt der Tag – Reb Jechiels Schwiegertochter, des Brisker Rows Tochter, liegt in Kindsnöten. Da kann man doch meinen, es sei nichts dabei: alle Weiber gebären. Die Sache ist aber nicht so einfach: man wußte, daß der Brisker Row dafür, daß er einen

Chassid rasiert hatte, das heißt, einem Chassid Bart und Schläfenlocken abrasieren ließ, von den Gerechten der Zeit verflucht war. Seine beiden Söhne starben ihm binnen fünf oder sechs Jahren, und keine seiner drei Töchter hatte noch einen Sohn zur Welt gebracht. Und dazu pflegten alle drei Töchter – daß Gott sich erbarme! – sehr schwer zu gebären: während der Kindsnöte waren sie mehr auf jener Welt als auf dieser! Man wollte offenbar im Himmel, daß es zwischen Chassidim und Misnagdim Streitigkeiten gäbe, und alle sahen und wußten, daß der Brisker Row von den Gerechten der Zeit verflucht war; nur er selbst sah es mit seinen hellen Augen nicht. Und vielleicht wollte er es nicht sehen! Er setzte seine Kämpfe mit Bannflüchen und Gewalttaten fort, wie man es um jene Zeit zu tun pflegte.

Mir tut Gitele (so hieß des Brisker Rows Tochter) wirklich leid. Erstens ist sie immerhin eine jüdische Seele! Und zweitens eine reine jüdische Seele; eine so fromme, so reine Seele hat es auf der Welt noch gar nicht gegeben …

Keine einzige arme Braut heiratete ohne ihre Hilfe. So ein seidenes Geschöpf war sie! Und sie muß für ihres Vaters Jähzorn bestraft werden! Und wie ich merke, daß die Hebamme im Hause erscheint, fange ich sofort an, mit allen Hebeln zu arbeiten, daß man nach dem Bjaler Rebben schicke … Soll man ihm doch wenigstens einen Wunschzettel ohne ein Geldgeschenk bringen. Sehr nötig braucht er das Geldgeschenk.

Der Bjaler Rebbe hielt nämlich gar nichts vom Geldgeschenk!

Mit wem soll ich aber reden?

Ich versuche es zunächst mit des Brisker Rows Schwiegersohn; denn ich weiß, wie sehr seine Seele an ihrer Seele hängt; das häusliche Glück leuchtet bei ihnen aus jedem Winkel, wenn er sich auch bemüht, es vor fremden Augen zu verheimlichen. Ist er aber doch des Brisker Rows Schwiegersohn! Er spuckt aus, geht weg und läßt mich mit offenem Munde stehen!

Da mache ich mich an Reb Jechiel selbst heran. Er antwortet mir: »Sie ist doch des Brisker Rows Tochter! Ich will es dem Brisker Row nicht antun, selbst bei Lebensgefahr nicht! Gott behüte!« Nun versuche ich es mit Reb Jechiels Frau – sie ist ein frommes, doch einfaches Weib. Sie antwortet mir mit diesen Worten: »Wenn es mein Mann befiehlt, will ich dem Rebben sofort mein Feiertagsstirntuch und meine Ohrringe schikken; ein Vermögen haben die Ohrringe gekostet! Doch ohne meines Mannes Wissen gebe ich keinen Pfennig her!«

»Aber ein Wunschzettel ... Was kann ein Wunschzettel schaden?«

»Ohne meines Mannes Wissen will ich gar nichts!« antwortet sie mir, wie eine fromme Frau antworten muß.

Und sie wendet sich von mir weg, und ich sehe, daß sie weint. Sie ist ja doch die Mutter! Ihr Herz ahnte wohl schon die Gefahr ...

Als ich aber den ersten Schrei hörte, lief ich selbst zum Rebben.

»Schmaje!« sagt er mir: »Was soll ich tun? Ich will für sie beten!«

»Rebbe«, sage ich ihm, »gebt mir etwas für die Gebärende: eine Münze, eine ›Kamee‹, irgend etwas gebt mir für sie!«

»Es wird ihr davon, Gott behüte, schlimmer werden: solche Dinge schaden, wenn man an sie nicht glaubt. Und sie hat keinen Glauben daran ...«

Was sollte ich nun machen? Es sind die ersten Tage von Laubhütten, die Geburt geht sehr schwer vor sich, helfen kann ich ihr nicht, also bleibe ich schon beim Rebben; ich war ja dort wie ein Kind des Hauses. Und ich denke mir, wenn ich den Rebben jeden Augenblick anflehe, daß er sich vielleicht doch noch erbarmt ...

Ich höre, daß die Sache nicht gut steht. Die Wehen dauern schon den dritten Tag ... Man hat alles versucht, was man überhaupt hat tun können: man hat in der Schul den Toraschrein aufgerissen, man hat die Gräber messen lassen und Hunderte Pfund Lichter in der Schul und im Lehrhaus verbrannt ... Und Almosen gab man wirklich ohne Zahl! Alle Kleiderschränke standen offen, ein Berg von Geld lag auf dem Tisch, und arme Leute kamen und nahmen, so viel jeder wollte und was jeder wollte!

Es packte mich am Herzen!

»Rebbe«, sage ich ihm, »es steht doch geschrieben: Almosen rettet vor dem Tode!« Er sagt aber ganz unvermittelt:

»Vielleicht wird der Brisker Row kommen!«

Und im gleichen Augenblick kommt Reb Jechiel in die Stube! Mit dem Rebben spricht er nicht, als ob er ihn überhaupt nicht sähe.

»Schmaje!« sagt er zu mir und nimmt mich beim Rockaufschlag. »Dort hinten steht eine Fuhre. Geh, setz dich in die Fuhre und fahre zum Brisker Row. Soll er herkommen ...«

Er fühlte wohl schon selbst, was auf dem Spiele stand, denn er fügte leise hinzu:

»Soll er selbst sehen, was hier geschieht! Soll er sagen, was zu tun ist!«

Und ein Gesicht hatte er — was soll ich euch sagen? — Tote sehen schöner aus!

Ich fahre also hin. Und ich denke mir: wenn der Rebbe schon vorher wußte, daß er kommen wird, so wird daraus wohl etwas werden! Vielleicht gar eine Versöhnung! Das heißt: nicht zwischen dem Brisker Row und dem Bjaler Rebben — sie selbst hatten ja auch keinen Streit miteinander —, sondern zwischen den beiden Parteien! Denn wenn er kommt, wird er doch selbst alles sehen: Augen hat er doch!

Offenbar will man aber im Himmel so eine Sache nicht so leicht zulassen. Der Himmel führt mit mir Krieg. Kaum bin ich aus Bjala herausgefahren, als am Himmel eine Wolke hinaufzieht, und was für eine Wolke! Schwer und schwarz wie Pech! Und es erhebt sich ein Wind, als ob Teufel durch die Luft flögen und von allen Seiten zugleich. Der Goj – er sei von uns wohl unterschieden! – versteht sich auf solche Dinge: er bekreuzigt sich und sagt, daß der Weg sehr beschwerlich sein wird. Und er zeigt mir mit der Peitsche auf den Himmel ... Und der Wind wird immer stärker, er zerreißt die Wolken, wie man ein Stück Papier zerreißt, und beginnt die Wolkenfetzen zu jagen und übereinander zu werfen. Ich habe schon zwei oder drei Stockwerke Wolken über meinem Kopfe. Anfangs hatte ich gar keine Angst: bis auf die Knochen naß werden, das ist für mich nichts Neues, und den Donner fürchte ich nicht. Erstens donnert es doch niemals um die Sukkeszeit, und zweitens hat ja der Rebbe bereits Schofar geblasen, und wir wissen, daß nach seinem Schofarblasen dem Donner für das ganze Jahr die Gewalt genommen ist! Wie es mir aber plötzlich vor den Augen aufblitzt: einmal, zweimal, dreimal, wie mit einer Peitsche schlägt es mir ins Gesicht! – so gerinnt mir auch wirklich die Muttermilch, und ich sehe ganz deutlich, daß der Himmel mich ohrfeigt und zurücktreibt!

Und auch der Fuhrmann – er sei von uns wohl unterschieden! – sagt: »Wollen wir doch umkehren!«

Ich weiß aber, daß eine Menschenseele in Lebensgefahr ist. Ich sitze im Wagen und höre durch den Sturm hindurch, wie die Gebärende stöhnt, wie des Brisker Rows Schwiegersohn die Hände ringt, daß die Finger knacken, und ich sehe vor mir Reb Jechiels finsteres Gesicht mit den eingefallenen, brennenden Augen. Er bittet mich: Fahre! Fahre doch! Und ich fahre weiter.

Und es gießt von oben, und es spritzt von den Rädern und Pferdehufen. Der Weg ist ganz überschwemmt. Auf dem Wasser treibt Schaum, und unser Wagen scheint schon zu schwimmen. Was soll ich euch viel erzählen? Außerdem verirrten wir uns ... Ich hielt aber doch alles aus!

Mit dem Brisker Row kam ich erst zu Hoschana rabba heim!

Doch um die Wahrheit zu sagen: Kaum hatte sich der Brisker Row in den Wagen gesetzt, als der Sturm sofort aufhörte. Die Wolken zerrissen, in einer Spalte zwischen den Fetzen zeigte sich die Sonne, und wir langten glücklich und trocken in Bjala an. Selbst dem Bauern, er sei von uns wohl unterschieden, fiel die Sache auf. Er sagte sogar: »Ein großer Rabbi!« Oder »Ein mächtiger Rabbi!«

Und welchen Eindruck unser Erscheinen machte!

Wie die Heuschrecken stürzten über ihn alle die Weiber her, die gerade im Hause waren ... Sie fielen vor ihm beinahe aufs Angesicht und heulten und weinten ... Die Gebärerin im nächsten Zimmer hörte man überhaupt nicht mehr. Entweder wurde ihr Stöhnen durch das Weinen der Weiber übertönt, oder sie hatte, Gott behüte, keine Kraft mehr zu stöhnen. Reb Jechiel sah uns gar nicht: er stand am Fenster und hielt die Stirne an eine Fensterscheibe gedrückt; es brannte ihm wohl der Kopf.

Auch des Brisker Rows Schwiegersohn wandte sich nach uns nicht um und begrüßte uns gar nicht. Er stand mit dem Gesicht zur Wand gekehrt, und man sah, wie sein ganzer Körper zitterte und wie sein Kopf an die Wand schlug ...

Ich meinte, ich müßte umfallen! So sehr packte mich der Schmerz und der Schreck. Es wurde mir kalt in allen Gliedern, und ich fühlte, daß auch meine Seele kalt wurde!

Aber habt ihr den Brisker Row gekannt?

Das war ein Mann! Eine Säule von Eisen, sage ich euch!

Ein sehr großer Mann, schlank wie König Saul ... Einen Schrecken verbreitet er um sich wie ein König! Er hatte einen langen weißen Bart; ein Ende des Bartes steckte ihm, ich sehe es noch heute vor mir, im Gürtel, und das andere Ende zitterte über dem Gürtel ...

Seine Brauen waren weiß, dicht und lang, sie verdeckten ihm das halbe Gesicht. Und nun richtete er sich auf: — Herr der Welt! Die Weiber prallten zurück wie vom Donner getroffen — solche Augen hatte er! Sie waren wie Messer, wie blanke Messer blitzten sie! Und er brüllte wie ein Löwe: »Fort von hier, Weiber!« Und dann fragte er etwas leiser und ruhiger:

»Und wo ist meine Tochter?«

Man zeigte ihm die Türe.

Er ging hinein; und ich stand draußen und war ganz außer mir: Diese Augen, dieser Blick, diese Stimme! Es ist doch eine andere Welt, etwas ganz anderes als mein Rebbe! Die Augen des Bjaler Rebben leuchteten so gütig, so still, und sein Blick erfreute jedes Herz. Wenn er jemand anblickte, so war es, als ob er ihn mit Gold überschüttete ... Und seine Stimme, seine süße, samtweiche Stimme! ... Mein Gott, sie rührte einem das Herz, sie streichelte die Seele so sanft und freundlich ... Niemals hatte man vor ihm, Gott behüte, Angst! Die Seele verging vor Liebe, vor süßer Liebe, sie wollte aus dem Körper herausfliegen und sich an seine Seele heften ... Sie wurde von ihm angezogen, wie ein Schmetterling — es sei zwischen den beiden wohl unterschieden! — von einer leuchtenden Flamme. Und dieser da — Schöpfer der Welt! Angst und Schrecken verbreitete er! Ein Gaon, einer von den alten Geonim! Und er geht jetzt zu der Gebärenden hinein!

»Er wird aus ihr noch einen Haufen Gebeine machen!« denke ich mir voller Angst.

Und ich laufe zum Rebben.

Der Rebbe kommt mir lächelnd entgegen.

»Hast du gesehen«, fragte er mich, »die Macht der Tora?«

Ich wurde gleich ruhig. »Wenn er lächelt«, sagte ich mir, »so ist es ein gutes Zeichen!«

Und es lief auch wirklich gut ab. Am Schmini-Azeret kam sie nieder. Zu Simchat Tora legte schon der Brisker Row bei der Tafel die Tora aus. Ich wollte eigentlich woanders bei Tische sitzen, doch ich fürchtete, wegzugehen. Umsomehr als mit mir gerade ein Minjan vollständig war ...

Was soll ich euch von des Brisker Rows Tora sagen? Wenn die Tora ein Meer ist, so war er ein Leviathan in diesem Meere: mit einer einzigen Bewegung durchschwamm er zehn Talmudabschnitte und Kommentare! Es dröhnte und schäumte, es siedete und spritzte, so wie man es vom richtigen Meere erzählt ... Mein Kopf wurde ganz wirr ... Doch das Herz kennt seinen Kummer! Mein Herz hatte doch nicht die richtige Festtagsfreude! Ich mußte an des Rebben Traum denken ... Und ich war wie erstarrt! Die Sonne schien durchs Fenster herein, Wein fehlte nicht bei Tisch, alle Leute schwitzten; und ich? Mir war so kalt, so bitter kalt! Und ich wußte, daß man dort ganz andere Tora zu hören bekommt ... Dort ist es hell und warm ... Jedes seiner Worte ist mit Liebe und Inbrunst durchtränkt und durchwoben ... Man fühlt, wie die Engel durch die Stube fliegen, man hört ihre großen, weißen Flügel rauschen ... Ach, Herr der Welt! Doch weggehen darf ich nicht.

Plötzlich unterbricht der Brisker Row seine Rede und fragt:

»Was für einen Rebben habt ihr hier?«

»Einen gewissen Nojach«, antwortet man ihm.

Es schneidet mich ins Herz: »Einen gewissen Nojach!« Dieser Hohn! Diese Lästerung!

»Tut er Wunder?« fragt er weiter.

»Wenig ... Man hört nicht viel davon ... Weiber erzählen manches von ihm ... Doch wer hört auf sie?«

»Er nimmt also so Geld, ohne Wunder?«

Nun sagt man ihm die Wahrheit, daß er wenig nimmt und viel weggibt.

Der Brisker Row wird nachdenklich.

»Kann er lernen?«

»Man sagt – er sei ein ganz Großer!«

»Woher stammt er, der Nojach?«

Niemand kann es sagen. Darum muß ich dem Row antworten. Nun kommt er mit mir ins Gespräch.

»Ist es nicht derselbe Nojach, der einmal bei mir in Brisk war?« fragt er mich.

»Ob dieser Nojach einmal in Brisk war?« stammelte ich. »Ich glaube – ja!«

»Aha!« sagte der Row. »Du bist wohl sein Chassid!« Und es scheint mir, daß er mich so anschaut, wie man eine Spinne anschaut.

Und er wendet sich wieder zu der Tischgesellschaft.

»Ich hatte einmal«, sagt er, »einen Schüler Nojach ... Er hatte sogar einen sehr guten Kopf, doch er zog ihn immer zu der anderen Seite hin ... Ich warnte ihn einmal, das zweite Mal ... Und als ich ihn zum dritten Mal warnen wollte, verschwand er mir plötzlich aus den Augen ... Ist es vielleicht doch derselbe?«

»Wer weiß?«

Und er beschreibt ihn: Ein hagerer, kleiner, mit schwarzem Bärtchen und gekräuselten Schläfenlokken ... Immer nachdenklich, spricht sehr leise ...

»Es ist möglich«, sagen die Leute, »daß er es ist. Es klingt sogar sehr wahrscheinlich!«

Ich dankte Gott, als man endlich mit dem Essen fertig war und zu benschen anfing.

Und nach dem Benschen geschah etwas, was ich mir niemals hatte träumen lassen.

Der Brisker Row erhebt sich von seinem Platz, ruft mich auf die Seite und sagt mir ganz leise: »Führe mich zu deinem Rebben und meinem Schüler. Doch hörst du? Niemand soll davon etwas erfahren!«

Ich gehorche natürlich, doch unterwegs frage ich ihn erschrocken:

»Brisker Row«, frage ich, »mit welcher Absicht geht Ihr hin?«

Und er antwortet mir ganz einfach:

»Es fiel mir beim Benschen ein, daß ich bisher wie ein Richter war, der den Angeklagten gar nicht sieht ... Ich will ihn sehen, mit meinen eigenen Augen sehen ... Und vielleicht«, fügt er hinzu, »vielleicht wird mir Gott helfen, meinen Schüler zu retten.«

»Weißt du, Junge«, sagte er später wie im Spott, »wenn dein Rebbe derselbe Nojach ist, der bei mir gelernt hat, so kann er einmal ein Großer in Israel und vielleicht auch ein Brisker Row werden!«

Nun wußte ich ganz sicher, daß es derselbe Nojach war, und mein Herz begann zu beben ...

Und die beiden Berge kamen zusammen ... Und daß ich, der ich zwischen den beiden stand, nicht auf der Stelle zermalmt wurde, ist ein Wunder Gottes.

Der Bjaler Rebbe, sein Andenken zum Segen, pflegte am Simchat-Tora seine Chassidim vor die Stadt spazieren zu schicken; und er selbst saß auf seinem Altan, sah ihnen zu und hatte seine Freude an ihnen.

Bjala war damals noch nicht das, was es heute ist; es war ein kleines Städtchen und bestand aus lauter kleinen, niedrigen Häusern; nur die Schul und des Rebben Lehrhaus ragten heraus. Des Rebben Altan lag im Obergeschoß, und man konnte von ihm aus die ganze Gegend sehen – die Hügel im Osten und den Fluß im Westen ...

Und der Rebbe saß auf dem Altan und sah herab. Wenn er ein paar Chassidim erblickte, die schweigend gingen, warf er ihnen den Anfang irgend einer Melodie zu. Sie fingen die Melodie auf und gingen singend weiter ... Und sie zogen in kleinen Gruppen vorbei und kamen aus der Stadt ins Freie, mit Gesang und Freude, mit der wahren Freude an der Tora. Und der Rebbe rührte sich nicht von seinem Altan. Nun hatte er wohl die fremden Schritte erkannt. Er stieg von dem Altan herab und kam dem Brisker Row entgegen.

»Friede sei mit Euch, Rabbi!« sagte er bescheiden mit seiner süßen Stimme.

»Auch mit dir sei Frieden, Nojach!« antwortete der Brisker Row.

»Setzt Euch, Rabbi!«

Der Brisker Row setzt sich, und der Bjaler Rebbe bleibt vor ihm stehen.

»Sag mir, Nojach«, sagt der Brisker Row, seine Brauen hochziehend, »warum bist du aus meiner Jeschiwe entlaufen? Was hat dir dort mißfallen?«

»Es fehlte mir dort die Luft zum Atmen«, erwidert der Rebbe ganz ruhig. »Ich konnte einfach nicht atmen ...«

»Wieso? Was redest du, Nojach?«

»Nicht mir«, erklärt der Rebbe mit leiser Stimme, »sondern meiner Seele fehlte die Luft zum Atmen.«

»Warum, Nojach?«

»Eure Tora, Rabbi, ist das reinste, härteste Gesetz! Sie kennt keine Gnade! Ohne einen Funken Barmherzigkeit ist Eure Tora. Und darum ist sie auch ohne Freude und ohne Luft zum Atmen ... Sie ist wie Eisen und Erz: eiserne Gesetze, eherne Satzungen! Und sie ist die höchste Tora für die Gelehrten, für die Auserwählten ...«

Der Brisker Row schweigt, und der Rebbe spricht weiter:

»Sagt mir, Rabbi, was habt Ihr für das ganze Volk Israel? Für den Holzhacker, für den Fleischer, für den Handwerker, für den einfachen Mann, für den sündigen Juden? Was habt Ihr, Rabbi, für die Nicht-Gelehrten?«

Der Brisker Row schweigt, als ob er nicht verstünde. Und der Bjaler Rebbe steht noch immer vor ihm und spricht mit seiner süßen Stimme:

»Verzeiht mir, Rabbi, doch ich muß Euch die Wahrheit sagen ... Hart ist Eure Tora, hart und trocken, denn sie ist nur der Leib und nicht die Seele der Tora!«

»Die Seele?« fragt der Brisker Row und reibt sich seine hohe Stirne.

»Gewiß! Eure Tora, hab ich gesagt, ist nur für die Auserwählten, für die Gelehrten und nicht für das ganze Volk Israel! Und die Tora muß für ganz Israel sein! Die Gottheit muß auf ganz Israel ruhen! Denn die Tora ist die Seele von ganz Israel!«

»Und deine Tora, Nojach?«

»Wollt Ihr sie sehen, Rabbi?«

»Die Tora sehen?« wunderte sich der Brisker Row.

»Kommt, Rabbi, ich will sie Euch zeigen! ... Ich will Euch ihren Glanz zeigen, die sie auf alle, auf ganz Israel ausstrahlt!«

Der Brisker Row rührt sich nicht.

»Ich bitte Euch, Rabbi, kommt! Es ist nicht weit!«

Er führte ihn auf den Altan hinauf. Ich wollte unbemerkt mitgehen.

Der Rebbe erriet sofort meinen Gedanken und sagte: »Du darfst mitkommen, Schmaje! Heute sollst du es auch sehen! Und auch der Brisker Row wird es sehen ... Die Freude an der Tora, die Simchat Tora werdet ihr sehen! ...«

Und ich sah dasselbe, was ich schon jedes Jahr am Simchat Tora gesehen hatte, doch ich sah es jetzt anders ... Es war, als ob ein Vorhang vor meinen Augen aufginge.

Ein weiter, unendlicher Himmel … Und blau, so blau ist dieser Himmel, daß das Auge sich nicht satt sehen kann. Am Himmel schwimmen weiße, silberweiße Wölkchen, und wenn man genauer hinblickt, kann man sehen, wie sie vor Freude zittern, wie sie tanzen in ihrer Freude an der Tora! Die Stadt ist von einem breiten, grünen Gürtel umgeben, und das Grün ist dunkel und so lebendig, als ob zwischen den Gräsern das Leben selbst herumschwebte. Und jeden Augenblick scheint an einer andern Stelle ein Duft, ein Leben aufzuflakkern … Man sieht ganz deutlich, wie die Flämmchen zwischen den Gräsern herumhüpfen und tanzen … und wie sie jeden Halm umarmen und küssen …

Und auf den Wiesen mit den tanzenden Flämmchen lustwandeln Gruppen von Chassidim … Die Kaftane aus Atlas und auch die aus Lasting, die zerrissenen wie die ganzen, glänzen wie die Spiegel … Und die Flämmchen, die zwischen den Gräsern herumhüpfen, hängen sich an die Festtagskleider und umtanzen jeden Chassid mit Liebe und Inbrunst … Und alle Chassidim blicken mit seltsam durstigen Augen empor zu des Rebben Altan … Und ich kann ganz deutlich sehen, wie die durstigen Augen von dem Altan, von des Rebben Gesicht Licht saugen, und je mehr Licht sie einsaugen, um so höher und lauter klingt ihr Gesang … Immer höher und lauter … Immer freudiger und heiliger …

Und jede Gruppe singt ihr eigenes Lied, doch in der Luft verschmelzen alle Stimmen; und ein Lied, ein Gesang erreicht des Rebben Altan … Und alle singen: der Himmel, die Planeten, die Erde und die Seele der Welt!

Schöpfer der Welt! Ich glaubte, ich müsse vor Seligkeit sterben!

Das war mir aber nicht beschieden.

»Man muß Minche beten!« sagte plötzlich der Brisker Row mit scharfer Stimme. Und im gleichen Augenblick war alles verschwunden …

Alles verstummte ... Der Vorhang fiel wieder herab: oben sah ich einen ganz gewöhnlichen Himmel und unten – gewöhnliche Wiesen und gewöhnliche Chassidim in zerrissenen Kaftanen ... Ich hörte abgerissene Töne alter, gewöhnlicher Lieder ... Erloschen waren die Flämmchen ... Ich sah den Rebben an: auch sein Gesicht war plötzlich wie erloschen ...

Sie hatten sich nicht ausgesöhnt. Der Brisker Row blieb derselbe Misnagid wie er war; und als solcher reiste er auch wieder ab.

Aber eine Wirkung hatte die Zusamenkunft doch gehabt: er verfolgte uns nicht mehr so wie früher.

ERLÄUTERUNGEN

Achtzehn-Bitten-Gebet: Bittgebet in sämtlichen jüdischen Gottesdiensten, bestand bei seiner Redaktion aus achtzehn Sätzen

Adamur: Abkürzung aus den Worten Adonenu, Marenu und Rabbenu (»unser Herr, unser Meister und unser Rabbi«)

Adar: Februar/März, der Monat, in den das Purimfest fällt, das zur Erinnerung an die Abwendung eines Judenpogroms durch Esther unter dem Perserkönig Xerxes (485–465 v. Chr.) gefeiert wird

Akiba: Bedeutendste Gestalt des rabbinischen (klassischen) Judentums. Er sah in dem Führer des Aufstandes gegen Rom, Bar Kochba, den Messias und fand beim Zusammenbruch des Aufstandes im Jahre 135 n. Chr. den Tod

Benschen: das Tischgebet sprechen, abgeleitet von lat. »benedicere«

Bnej Adam: »Menschenkinder«; Anfangsworte des Gebetes, das am Vorabend des Versöhnungstages (Jom Kippur) über den »Kappore«–Hahn gesprochen wird, bevor man diesen als eine Art Sühnopfer schlachtet

Chanukka: »Einweihung«; Tempelweihfest, zur Erinnerung an die Wiedereinweihung des Tempels von Jerusalem im Jahre 164 v. Chr.; begangen wird es im

November/Dezember; an acht Abenden hintereinander werden Lichter an einem Chanukkaleuchter entzündet, jeden Abend eines mehr

Chassid (pl. Chassidim): »Frommer«; Anhänger des Chassidismus

Cheder: Jüdische Elementarschule

Chuppe: Traubaldachin

Dajen (Dajan): »Richter«; Rabbinergehilfe mit Richterfunktion

Ejz chajim (Ez chajim): »Lebensbaum«; ein kabbalistisches Werk

Gaon (pl. Geonim): »Erhabener«; Ehrentitel bedeutender Leiter rabbinischer Akademien in Babylonien vom 7. bis 11. Jahrhundert; wurde auch noch in späterer Zeit herausragenden Persönlichkeiten gegeben, so dem Wilnaer Gaon, einem erbitterten Gegner des Chassidismus

Gebetmantel: Tallit, ein viereckiges Tuch, das als Obergewand dient und bei religiösen Verrichtungen, besonders beim Morgengebet, angelegt wird

Gebetriemen: Tefillin, Riemen mit ledernen schwarzen Kapseln, die wochentags beim Morgengebet am Kopf und am linken Unterarm befestigt werden. Die Kapseln enthalten, auf Pergament geschrieben, folgende Abschnitte aus der Tora: 2. Mose 13, 1–10; 13, 11–16; 5. Mose 6, 4–9; 11, 13–21

Goj (pl. Gojim): Nichtjude

Guter Jid: Guter Jude = Zaddik

Gut Woch!: Begrüßungsformel nach Sabbatausgang

Haggada: »Erzählung«, d. h. erbauliche Schriftauslegung aus der Zeit des klassischen Judentums, insbesondere die Erzählung vom Auszug Israels aus Ägypten, die an den ersten beiden Pessachabenden bei der Tafel verlesen wird

Hawdala: Feier des Sabbatausgangs, insbesondere das Gebet, mit dem der Sabbat verabschiedet wird

Hoschana rabba: Siebenter Tag des Laubhüttenfestes (Sukkes)

Jeschiwe (Jeschiwa): Höhere Talmudschule

Jom Kippur: Versöhnungstag, höchster jüdischer Fast- und Bußtag, am 10. Tischri (Mitte September/Anfang Oktober), der Abschluß der zehntägigen Bußfrist, die mit Rosch Haschana (Neujahr) beginnt

Kabbala: »Tradition«, d. h. geheime mystische Tradition; Bezeichnung für die mittelalterliche jüdische Mystik

Kaddisch: »Heiligung« (des göttlichen Namens), Gebet im täglichen Gottesdienst; speziell: Gebet für Verstorbene

Kiddusch: Segensspruch über einen Becher Wein bei Sabbatbeginn

Litwak: Litauischer bzw. bjelorussischer Jude; nach der unter polnischen Juden, zumal den Chassidim, verbreiteten Meinung Rationalist und Gegner des chassidischen Wunderglaubens

Litwakisch: Jiddischer Dialekt, der in Litauen und Bjelorußland gesprochen wird

Maggid: »Sprecher, Verkündiger«; von der Gemeinde neben dem Rabbiner angestellter Prediger. Manche der chassidischen Zaddikim, die als Prediger tätig waren, führten den Titel Maggid, so Dow Bär von Mesritsch und R. Israel aus Kozienice

Mazze (Mazza): Ungesäuertes Brot, das beim Passafest zur Erinnerung an den Auszug aus Ägypten verzehrt wird

Mazzeknödel: Aus Mazzen (Mazzot), d. h. ungesäuertem Brot, hergestellte Knödel

Melamed: Lehrer an einer jüdischen Elementarschule

Midrasch: Jüdische Bibelauslegung aus rabbinischer Zeit, teils sich eng an den Bibeltext anschließend, teils ihn als Anknüpfungspunkt für Beispielerzählungen nutzend

Minche (Mincha): Nachmittagsgebet

Minjan: »Zahl«, d. h. Mindestzahl von zehn Männern, die für einen ordnungsgemäßen Gottesdienst notwendig sind

Misnagid (pl. Misnagdim): Gegner des Chassidismus

Mussaf: Zusatzgebet

Nasiräer: Ein durch Gelübde Gott Geweihter

Neila: »Abschluß«, d. h. Schlußgebet am Versöhnungstag

Pessach: Passafest; wird zur Erinnerung an den Auszug aus Ägypten gefeiert und dauert acht Tage; es findet ungefähr zur gleichen Zeit wie Ostern statt

Rabbi: Gelehrtentitel; Bezeichnung des Gemeinderabbiners

Reb: Abkürzung von Rabbi; bedeutet so viel wie »Herr«

Rebbe: Volkstümliche Bezeichnung für einen Zaddik, chassidischer Rabbi. In den vorliegenden Übersetzungen von A. Eliasberg wird nicht klar zwischen Rabbi und Rebbe unterschieden

Rosch Haschana: Neujahr, am 1. und 2. Tischri (September/Oktober)

Row (Rab): Rabbi

Schalaschudes: Dritte Sabbatmahlzeit. Bei den Chassidim wurde sie besonders festlich begangen

Schma Jisrael: »Höre Israel«; das Glaubensbekenntnis zu dem einen und einzigen Gott. Es besteht aus drei Abschnitten der Tora: 5. Mose 6, 4–9; 5. Mose 11, 13–21 und 4. Mose 15, 37–41

Schmini-Azeret: Achter Tag des Laubhüttenfestes (Sukkes)

Schofar: Widderhorn, das zu den Festtagen geblasen wird, besonders aber zu Neujahr und Jom Kippur

Schreckliche Tage: Die zehn Bußtage zwischen Neujahr und Jom Kippur, an denen das himmlische Gericht seine Beschlüsse für das kommende Jahr fällt

Schul: Synagoge

Simchat Tora: Fest der Gesetzesfreude; es wird begangen zum Abschluß des jährlichen Zyklus der Tora-Lesung am 23. Tischri, dem Tag nach Schmini Azeret

Sliches (Selichot): »Vergebung«, d. h. Bußgebete

Slicheszeit: Die drei Tage vor dem Neujahrsfest, an denen die Juden vor Morgengrauen geweckt werden, um Sliches (Bußpsalmen) zu beten

Sohar: »Lichtglanz«; Hauptwerk der Kabbala

Streimel: Pelzmütze

Sukkes (Sukkot): Laubhüttenfest; beginnt am 15. Tischri (Ende September/Anfang Oktober) und dauert acht Tage. Man feiert es im Familienkreis in auf Flachdächern, Balkons und Höfen errichteten Laubhütten. Es ist ein Obsternte- und Weinlesefest und hat einen religiösen Bezug durch die Vergegenwärtigung der Wüstenwanderung Israels

Talmud: »Belehrung«; enthält die Mischna, welche die religionsgesetzlichen Vorschriften der Rabbinen der ersten drei Jahrhunderte n. Chr. zusammenfaßt, und die Gemara, die Erläuterungen der Rabbinen bis zum 6. Jahrhundert hierzu. Es gibt einen palästinensischen und einen babylonischen Talmud. Nur letzterer hat allgemeine Verbreitung und Geltung erlangt

Tora: Die fünf Bücher Mose bzw. der Pentateuch. Vielfach wird auch die spätere Auslegung dieser Bücher als »Tora« bezeichnet; so heißt »Tora lernen« etwa dasselbe wie »Talmud lernen«

Zaddik (pl. Zaddikim): »Gerechter«; im Chassidismus die führende Persönlichkeit, die von den Chassidim als hohe religiöse Autorität verehrt wird; die volkstümliche Bezeichnung des Zaddik ist Rebbe

ISBN 3-7338-0004-4
1. Auflage © 1988 by Koehler & Amelang Leipzig
Lizenznummer 295/275/3018/88 · LSV 7291
Printed in the German Democratic Republic
Reproduktion: Druckerei Neues Deutschland, Berlin
Lichtsatz: INTERDRUCK
Graphischer Großbetrieb Leipzig — III/18/97
Gedruckt und gebunden von den Druckwerkstätten Stollberg
Buchgestaltung: Dietmar Kunz, Leipzig
698 323 3
01380